中学英語だ
面白いほど話せる！

JN045560

見たまま
秒で言う
英会話

森秀夫

ダイヤモンド社

はじめに

「膨大な時間をかけて英語を勉強したのに、全く話せるようになっていない」と感じていませんか。あれほど暗記したのに、英語話者を前にすると全く言葉が出てこない——そんなトラウマのような経験がある人は少なくないはずです。

本書は「英語を話せるようになりたい」と願う皆さんの悩みに終止符を打つために作られました。英語は誰でも必ず話せるようになります。

9割の人が陥っている「英語の悪循環」

英語を習得するうえで陥りやすい悪循環があります。一言で言うと、勉強のしすぎによる悪循環です。「えっ」と思われるかもしれませんが、ほとんどの日本人が学生時代に陥る悪循環です。

勉強のしすぎとは、文法や単語のインプットに終始している状態です。英語を使えるようになることが目的なのに、単語や文法の暗記ばかりに時間を費やし、徐々に退屈になって、学習が続かなくなるのです。

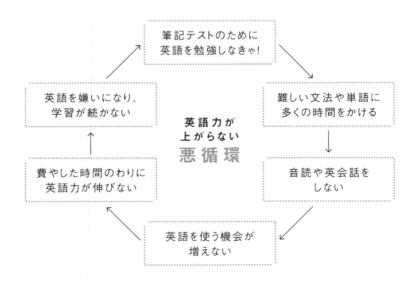

こうなってしまう最大の原因は、中学校や高校で染みついた学習習慣から抜け出せないこと。英語を話せるようになるためには、この悪循環から抜け出し、英語習得の好循環に入ることが必須です。

英語を「自分のもの」にする

　英語は、スポーツと同じ実技です。テニスが上手くなりたいと思っているのに、本や動画で知識を集めてばかりの選手はいません。実際にボールを使う練習を繰り返して技術を磨きます。さらに本番の試合を経て、練習で磨いた技術は、「自分の中で確かなもの」になります。

　英語も同様です。インプットだけでなく、アウトプットを繰り返すことで英会話力が伸びていきます。自分の頭で英文を組み立て、口に出すことで、学んだことが「自分のもの」になります。それに、インプットだけでは退屈ですよね。自分の言葉で話しながら成功や失敗を繰り返し、成長を実感できたときに、楽しさを感じるものです。

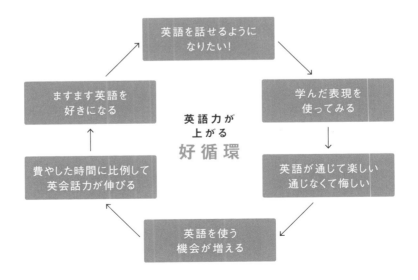

本書では、皆さんが楽しくインプットとアウトプットを繰り返すために、イラストを見て英語に変換するトレーニングを用意しました。どんな人でもトレーニングを積めば、少しずつ話せるようになり、今よりもっと英語を楽しむことができます。

本書の使い方──好循環に入る3ステップ

費やした努力や時間に比例して英語を話す力が伸びていなければ、学習方法が間違っているのです。学習効果を上げるために、本書を使って次の3つのステップで学習をしてみてください。

ステップ1　英語を口に瞬時に出すトレーニング

ステップ1は、イラストを見て瞬時に英語で答えるトレーニングです。「①空欄」に入る英語を自分の言葉で口に出してみましょう。最初のうちは、なかなか英語が出てこないかもしれません。それでも大丈夫。最初から完璧である必要はありません。自分が言えることを瞬間的に口に出してください。

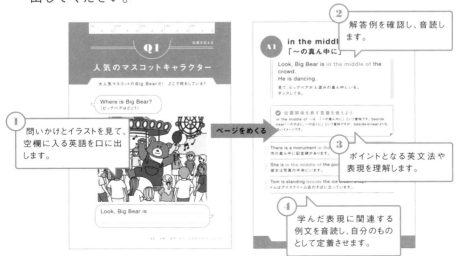

4

ページをめくると「②解答例」が記載されているので、音読しましょう。何度も繰り返すうちに、徐々に英語が口から出てくるようになっていきます。イラストを見て、5秒でパッと言えるようになれば、あなたはかなりの英会話上級者です。

　「③文法や表現の解説」を読んだら、「④関連する例文」を何度も音読して覚えましょう。なお「覚えた状態」とは、意味や文法を理解したうえで英文がパッと口から出てくる段階のことです。決して英文の意味が分かる段階を指しているわけではありません。

　英語はリズムとイントネーションの言語です。音読する際は、名詞、動詞、形容詞などの内容語は長く強く、冠詞や代名詞などの機能語は短く弱く発音しましょう。なお、アクセントを意識するとリズムある英語になります。常に実際の会話を意識して練習することが大切です。

ステップ2　言い換えトレーニング

　ステップ2では、ステップ1で覚えた英文の一部を言い換えて、「自分の英文」を作ります。与えられた英文ではなく、自分が言いたい英文を作ることで、学んだ表現が自分のものになります。

　そうは言っても、自分で英文を作るのが難しいという人は、AIに頼りましょう。現在は、ChatGPTに代表されるAIツールが無料で使えます。学んだ文法や表現を使って3つ以上の英文を作り、ノートに書き出します。そうすることで自分だけの英語表現ノートができあがります。

　例えば、「I have toで始まる英文を10個作ってください」とAIに指示をすると10個の英文を作成してくれます。自分で使いたい英文を選びノートに書き出します。ぜひ疑問文や否定文の形も取り入れてください。これらの英文を次のステップ3で使います。

ステップ3 実用化トレーニング

　「英語を知っていること」と「英語を実際に使えること」とは別物なので、ステップ3の実用化トレーニングが必要になります。

　すなわち、ステップ2で作った英文を実際の会話で使います。おすすめは、オンライン英会話。安い料金で手軽に利用でき、ネイティブを独占できます。学んだことはその日中に実際の会話で使ってください。

　英会話では、大きな声で話すよう心がけましょう。「間違っているかも」「発音に自信がない」といった理由で、小さい声で話をしていると通じません。たとえ完璧でなくても、自分の英語が通じるという体験を重ねることで、英語を使う喜びを実感でき、自信を持つことができます。

　自信がついてくれば、新しい表現を実際の会話でどんどん使いたくなるでしょう。これを繰り返すことが、英会話力の向上を図るうえで、一番の近道なのです。

習慣化のコツ

　英語の習得は長期戦です。習慣化して継続しなければいけません。そのために、時間を確保することが大切です。学習する場所、時間帯、取り組む範囲を決めてしまいましょう。1日、1週間のスケジュールを書き出して、優先順位を決めて、英語に費やせる時間を洗い出すのです。

　加えて、学習記録を残すことを強く推奨します。成果を確認できると、成長を実感し前向きになれるからです。本書では各問題の先頭に取り組んだ日付を記録するスペースを設けました。また、例文にはチェックボックスがついているので、活用してみてください。

本書のレベル

　本書に出てくる英文法や英単語などのレベルは、ほとんど中学校の教科書の範囲内に絞ってあります。そのため、英語が得意な皆さんには、

やさしいと感じられるかもしれません。

　しかし、「英語を知っていること」と「英語を実際に使えること」とは別物です。知っている知識を使えるようになるには、何度も繰り返し音読し、英語を話す練習をしていく必要があります。

　そうすることで、反射的に英語が話せるようになっていくのです。そのためには、「やさしい英語をたくさん、繰り返し学べる」中学英語のレベルが最適なのです。

　実は中学校の教科書には、日常会話に必要な英文法や表現がたくさん掲載されていて、中学英語を使いこなせるようになれば、英会話力が飛躍的に向上します。

音声を聴く方法

● **スマートフォンで聴く**
アプリ「abceed」をダウンロードし、「見たまま秒で言う英会話」と検索してください。

● **パソコンで聴く**
ダイヤモンド社「見たまま秒で言う英会話」のページからダウンロードしてください。
https://www.diamond.co.jp/books/117866/
※zip形式になっているので、展開（解凍）してお使いください。PCの機種により解凍ソフトが必要な場合もあります。
※パソコン・スマホの操作に関するお問い合わせにはお答えできません。

スマホで音声をダウンロードする場合

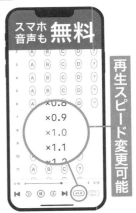

ご利用の場合は、下記のQRコードまたはURLよりスマホにアプリをダウンロードしてください。

https://www.abceed.com
abceedは株式会社Globeeの商品です。

目次

はじめに ………………………………………………………………………… **2**

第 **1** 章

場所、もの、人を伝える
トレーニング

Q 1 人気のマスコットキャラクター ………………………… **17**

Q 2 新しい店 ………………………………………………… **19**

Q 3 料理が出てきたけれど …………………………………… **21**

Q 4 どこに隠れている? ……………………………………… **23**

Q 5 ルーティン ………………………………………………… **25**

Q 6 待ち合わせ場所の指定 …………………………………… **27**

復習 **1** …………………………………………………………… **29**

Q 7 ちょっと待って …………………………………………… **31**

Q 8 冷蔵庫に何がある? ……………………………………… **33**

Q 9 道案内 ……………………………………………………… **35**

Q 10 サンドイッチの注文 …………………………………… **37**

Q 11 この服どう? ……………………………………………… **39**

Q 12 どんな人? ………………………………………………… **41**

Q 13 何か飲みたい? …………………………………………… **43**

Q 14 探している人はどの人? ……………………………… **45**

Q 15 隠し絵 ……………………………………………………… **47**

復習 **2** …………………………………………………………… **49**

|Column 1| 数字を英語で言えるようになろう ………………… **51**

第**2**章

出来事や状況を伝える トレーニング

Q 16　グラフの説明 ……………………………………………… 55

Q 17　出かける前に ……………………………………………… 57

Q 18　立ち上がったら …………………………………………… 59

Q 19　怒っている理由 …………………………………………… 61

Q 20　インク切れ ………………………………………………… 63

Q 21　止まらない! ……………………………………………… 65

Q 22　楽しみにしている予定 …………………………………… 67

Q 23　天気予報によると ………………………………………… 69

復習**3** ………………………………………………………………… 71

Q 24　ジョギングを始めた理由 ………………………………… 73

Q 25　いつまでに終わる? ……………………………………… 75

Q 26　オンライン会議 …………………………………………… 77

Q 27　誘いを断る ………………………………………………… 79

Q 28　彼女募集中 ………………………………………………… 81

Q 29　料金表 ……………………………………………………… 83

Q 30　かつては …………………………………………………… 85

Q 31　天気予報を確認 …………………………………………… 87

復習**4** ………………………………………………………………… 89

Q 32　骨董品の価値 ……………………………………………… 91

Q 33　目覚まし時計 ──────────── **93**

Q 34　雨がやんだら ──────────── **95**

Q 35　スケジュールの調整 ───────── **97**

Q 36　空港の運航情報 ──────────── **99**

Q 37　試着したけれど ──────────── **101**

Q 38　先生の注意 ──────────── **103**

Q 39　静かにしている理由 ───────── **105**

復習5 ──────────────────── **107**

Q 40　手伝ってもらう ──────────── **109**

Q 41　食べすぎて ──────────── **111**

Q 42　ギフトを贈る時に ──────────── **113**

Q 43　待ち合わせ場所に着いたけれど ─── **115**

Q 44　ゴミの分別 ──────────── **117**

Q 45　昔の友人 ──────────── **119**

Q 46　神社のマナー ──────────── **121**

Q 47　いつもと違う道 ──────────── **123**

Q 48　世界第1位 ──────────── **125**

復習6 ──────────────────── **127**

|Column 2|　語源を知って使える単語を増やそう ──── **129**

第 **3** 章

気持ちや考えを伝える トレーニング

Q 49　決意 **133**

Q 50　ハロウィンパーティー **135**

Q 51　高所恐怖症 **137**

Q 52　クリスマス **139**

Q 53　友人のケガ **141**

Q 54　スピーチ **143**

復習 **7** **145**

Q 55　もう売り切れなの? **147**

Q 56　ネコの気持ち **149**

Q 57　もし、宝くじが当たったら? **151**

Q 58　弟に押し付ける **153**

Q 59　ビュッフェ **155**

Q 60　2日酔いで **157**

復習 **8** **159**

│Column 3│ オンライン英会話を活用しよう **161**

第 **4** 章

質問するトレーニング

Q 61	自分に合うサイズ	165
Q 62	ネットで見つけたレストラン	167
Q 63	どんなワイン?	169
Q 64	ライブのチケット	171
Q 65	お土産を持ってきた同僚	173
Q 66	誰が好きなの?	175
Q 67	転職して1カ月の友人	177
復習 9		179
Q 68	昔のケータイ	181
Q 69	おすすめされた物件	183
Q 70	スカイダイビング	185
Q 71	歓迎会	187
Q 72	行き方を尋ねる	189
Q 73	プレゼントを選ぶお客	191
Q 74	伝言を受ける	193
復習 10		195
Column 4	冠詞を使い分けよう	197

索引 ………………………………………………………… **199**
おわりに ………………………………………………… **204**

第 **1** 章

場所、もの、人を
伝える
トレーニング

会話にはきっかけが必要です。
目にしたものをパッと言葉にできれば、
いろんな場面で会話を始められるようになります。
第1章は
「場所、もの、人を伝えるトレーニング」です。
見たままを説明してみてください。
最初は言葉が出てこないかもしれませんが、
単語やフレーズの断片でもいいので、
頭に思い浮かんだ英語を
どんどん口に出していきましょう。

位 置 を 伝 え る

Q1

人 気 の マ ス コ ッ ト キ ャ ラ ク タ ー

大 人 気 マ ス コ ッ ト の Big Bear だ !　 ど こ で 何 を し て い る ?

Where is Big Bear?
（ ビ ッ グ ベ ア は ど こ ? ）

Look, Big Bear is _____

_____

in the middle of～
「～の真ん中に」

Look, Big Bear is **in the middle of** the crowd.
He is dancing.

見て、ビッグベアが人混みの真ん中にいる。
ダンスしてる。

✅ 位置関係を表す言葉を覚えよう

in the middle of ～は、「～の真ん中に」という意味です。beside、near「～のそばに、～の近くに」という意味ですが、besideはnearよりも近いイメージです。

There is a monument **in the middle of** the city.
市の真ん中に記念碑があります。

She is **in the middle of** the picture.
彼女は写真の中央にいます。

Tom is standing **beside** the ice cream shop.
トムはアイスクリーム店のそばに立っています。

位置を伝える

Q2

新しい店

気になる店ができたみたい。店はどこにある?

> **Where is the new hamburger shop?**
> (新しいハンバーガーの店はどこ?)

> **The new hamburger shop is** _____
> _____

A2 between〜and…「〜と…の間に」

> The new hamburger shop is **between** the photo shop **and** the bookstore.
>
> 新しいハンバーガーの店は、写真店と書店の間にあります。

✓ betweenと一緒に覚えたいamong

betweenは「(2者で)〜と…の間に」を表し、amongは「(3者以上で)〜の間に」を表すのが原則です。

☐☐ The bullet train runs **between** Tokyo **and** Osaka.
新幹線は、東京と大阪の間を走っています。(2者間)

☐☐ Is this you sitting **between** two girls?
2人の少女の間に座っているのがあなたですか?(2者間)

☐☐ He is one of the most famous singers **among** teenagers.
彼はティーンエージャーの中で最も有名な歌手の1人です。(3者以上)

位置を伝える

Q3

料理が出てきたけれど

えっ、ハエだ！　店員さんに取り替えてもらおう。

> How can I help you ?
> （どうされましたか？）

> Look! There is ....
> Can I ....

ヒント：「ハエ」は fly

A3 位置を表す on

Look! There is a fly **on** my food.
Can I have a new one ?

うわっ!　食べものにハエが止まっています。
新しいものと交換してもらえませんか?

 **onのイメージは「接触」**

onの基本的な意味は「〜の上に」ですが、「接触＝上」という場合が多いだけで、上下問わず接触している時は、onを使います。また、onは日や曜日を表す時にも使われます。

There is a bee **on** the ceiling.
天井にハチが止まっています。
● 接触を表すon。天井や壁でも、接触している場合は、onを使う

I put my car key **on** the table.
私は、テーブルの上に車のカギを置きました。
● 「上に」を表すon

The dancer was born **on** June 22nd.
そのダンサーは6月22日に生まれました。
● 日や曜日を表すon

位置を伝える

Q4

どこに隠れている？

CherryとStellaが見当たらないなあ？　部屋のどこにいる？

> **Where are Cherry and Stella?**
> （チェリーとステラはどこ？）

Cherry is ....

Stella is ....

ヒント：「棚」shelf

A4 under〜「〜の下に」

Cherry is under the TV.
Stella is on the shelf.

チェリーはテレビの下にいます。
ステラは棚の上にいます。

✅ **underと一緒に覚えたいbelow**

under「〜の下に」は、下に空間が広がっているイメージです。below「〜の下に」は、ある基準より下のイメージです。underの反意語はoverで、belowの反意語はaboveです。

Your bag is under the chair.
あなたのバッグは椅子の下にあります。

My son is hiding under the desk.
息子が机の下に隠れています。

The temperature was below 10 degrees.
気温は10度以下でした。
● 物理的な位置関係だけでなく、ある基準よりも下であることも表す

習慣を伝える

Q5

ルーティン

Maryはどこで働き、
仕事帰りに何をしている?

Mary _____

After work, she _____

A5　場所を表すatとin

Mary works **at** the information center.
After work, she goes jogging **in** the
park.

メアリーは案内所で働いています。
仕事の後は、公園でジョギングをします。

✔ "at"と"in"のイメージの違い

at「〜で」は比較的狭い一点をイメージします。in「〜の中に」は、ある限られた範囲の中の内部をイメージします。なお、at 6 p.m.「午後6時」のように、時刻を伝える際にも使われます。

I found a purse **in** the mall.
私は、モールでお財布を見つけました。

Some people work **at** home.
自宅で仕事をする人がいます。

We are waiting for a bus **at** the bus stop.
私たちは、バス停でバスを待っています。

Q6 場所と時間を説明する

待ち合わせ場所の指定

待ち合わせの日時と場所を伝えてみよう。

> **Where do you want to meet?**
> (どこで待ち合わせしたい？)

I'll meet

ヒント：像「statue

A6 # in front of〜「〜の前」

I'll meet you at the Shibuya station exit
at 5 p.m. on February 17th.
There's a statue of a dog **in front of**
the exit.

2月17日の午後5時に渋谷駅出口で待ち合わせましょう。
出口の前にイヌの像があります。

✅ **in front of と一緒に覚えたいbehind**

建物など物理的なものの前を表す場合には、in front of〜「〜の前に」を
使いますが、順番などの場合には、before「〜の前に」が使われます。
behind「〜の後ろに、裏側に」、around「〜の周りに」、beyond「〜
の向こうに」もあわせて使えるようになりましょう。

The traffic accident happened just **in front of** me.
交通事故は私のちょうど目の前で起きました。

I parked my car **behind** the grocery store.
私は、車を食料雑貨店の後ろにとめました。
● grocery store「食料雑貨店」

His house is **beyond** the bridge.
彼の家は橋の向こうにあります。

1 I put _____

私は、テーブルの上に車のカギを置きました。

2 My son is _____

息子が机の下に隠れています。

3 She is _____

彼女は写真の中央にいます。

4 The bullet train _____
_____

新幹線は、東京と大阪の間を走っています。

5 _____

私たちは、バス停でバスを待っています。

6 _____

交通事故は私のちょうど目の前で起きました。

1 I put my car key on the table.
私は、テーブルの上に車のカギを置きました。

2 My son is hiding under the desk.
息子が机の下に隠れています。

3 She is in the middle of the picture.
彼女は写真の中央にいます。

4 The bullet train runs between Tokyo and Osaka.
新幹線は、東京と大阪の間を走っています。

5 We are waiting for a bus at the bus stop.
私たちは、バス停でバスを待っています。

6 The traffic accident happened just in front of me.
交通事故は私のちょうど目の前で起きました。

場所を説明する

Q7

ちょっと待って

声をかけて、注意してあげてください。

> Let's go inside.
> （中に入ろう）

> John, you _____
> _____

A7   have to～ 「～しなければならない」

John, you **have to** take your shoes off before going inside.

中に入る前に、靴を脱がないといけません。

✅ **義務や必要性を伝える表現**

have to＋動詞の原形は、「～しなければならない、～する必要がある」という義務・必要を表します。疑問文は、Do/Does/Did ＋主語＋have to～ の形になります。don't have to～は「～する必要がない」。

☐ I **have to** read a lot of books.
☐ 私はたくさんの本を読まなくてはいけません。

☐ I **have to** study harder.
☐ 私はもっと一生懸命勉強しなくてはいけません。

☐ I **don't have to** get up early.
☐ 私は早起きする必要はありません。

☐ How long do we **have to** wait?
☐ 私たちはどのくらい待たなくてはいけませんか?

食べものを伝える

Q8

冷蔵庫に何がある？

電話で冷蔵庫の中身を教えてあげよう。
カレーを作りたいみたいだ。

> **What's in the fridge?**
> （冷蔵庫に何が入ってる？）

> There _____
> _____

There is / are〜
「〜がある／いる」

> **There are** potatoes and some meat but **there are no** onions.
>
> ジャガイモと肉はあるけど、玉ねぎがありません。

✅ 疑問文 "Is/Are there…?" も使えるように

There is/are＋主語（単数名詞/複数名詞）は、「〜がある/いる」という意味です。There is/are〜は初めて話題に出るものの存在を知らせる表現ですので、ふつうThere is/areの後には、theやmyがついた名詞はきません。疑問文は、Is/Are there＋主語?「〜があるか?、〜がいるか?」の形で使います。

Is there a convenience store around here?
この近くにコンビニはありますか?

Is there a hamburger shop nearby?
近くにハンバーガー屋さんはありますか?
● nearby「すぐ近くに」

Are there any mistakes?
何か間違いはありますか?

位置を伝える

Q9

道案内

市役所への行き方がわからないようだ。道案内しよう。

> **How can I get there?**
> （どうやってそこへ行けばいいんですか？）

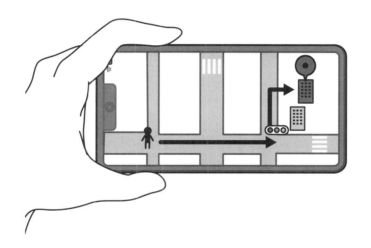

First, _____

Then, _____

The city hall is _____

_____

A9 go straight「直進する」 turn left「左折する」

First, **go straight** for two blocks.
Then, **turn left at the first traffic light**.
The city hall is the second building **on your right**.

まず、2ブロック直進します。それから、最初の信号を左折します。市役所は右手の2軒目の建物です。

> ✓ 道案内で使える表現
>
> 道案内では、blockは「周りを道路で囲まれた建物群」を指します。go straight for two blocks「まっすぐ2ブロック進む」、turn left at ～「～で左折する」、on one's right「～の右手に」もあわせて使えるようになりましょう。

□□□ **Go straight** for three blocks.
3ブロックまっすぐ進んでください。

□□□ **Go past** the bank.
銀行を通り過ぎてください。
● go past～「～を通り過ぎる」

□□ **Where** are we on this map?
この地図で、どこにいますか?

食べものを伝える

Q 10

サンドイッチの注文

トマト抜きで注文しよう。

Can I

without tomatoes
「トマト抜きで」

A 10

> Can I have a chicken sandwich **without** tomatoes?
>
> チキンサンドイッチをトマト抜きでください。

✓ **without〜「〜なしで」**

without 〜は「〜なしで」を意味します。また、反意語はwith 〜で「〜と一緒に」を意味します。

Without cars, life in the countryside is not convenient.
車がないと、田舎での生活は不便です。

Without smartphones, it is difficult to communicate with others.
スマートフォンがないと、ほかの人とのコミュニケーションが困難です。

Without enough exercise, we may gain weight.
十分な運動をしないと、太るかもしれません。
● gain weight「太る」

Without music, my life is boring.
音楽がないと、私の人生は退屈です。

ものを伝える

Q11

この服どう?

友だちがこのドレスを気に入ったみたい。ほめてあげよう。

What do you think?
(どう思う?)

You _____

_____

A 11 look great in 「～が似合ってる」

> You **look** great in that dress.
>
> そのドレスがとても似合っていますね。

✔ 主語と動詞の後がイコールの関係

He is a doctor.「彼は医師です」のように、SVC（主語＋動詞＋補語）「S はCです」の形の文では、S＝Cの関係になります。CはSの説明をします。 Cには、形容詞や名詞などがきます。be動詞のほかに、look「～に見える」やseem「～のように思える」もSVCの動詞として使われます。in that dressのinは「～を身につけて」の意味です。

You **look** awesome today.
あなたは今日、素敵ですね。

● awesome「すごい、かっこいい、素敵」

He **seems** nervous.
彼は緊張しているようですね。

She **looks** different today.
彼女は今日は（いつもと）違いますね。

人を伝える

Q12

どんな人?

彼はどんな人ですか? どんな行動をとりましたか?

He
_____

_____

ヒント:「〜を譲る」offer

A 12

be kind to〜
「〜に親切だ」

He **is kind to** the elderly.
He offered his seat.

彼はお年寄りに親切です。
彼は席を譲りました。

> ✅ 親切、不親切を英語で表現する
>
> be kind/nice to 〜は「〜に親切である」という意味です。反対に、be unkind to 〜「〜に不親切である/思いやりがない」も使えるようにしておきましょう。

He **is kind to** his patients.
彼は患者に親切です。

It's important to **be kind to** our neighbors.
近所の人々に親切であることは重要です。

Everyone **is nice to me** because I am the youngest here.
私はここで最年少だから、みんなが親切です。

The clerk **was unkind to his customers.**
その店員はお客に対して不親切でした。
● clerk「店員」 customer「お客」

ものを伝える

Q 13

何か飲みたい？

のど渇いた。飲みものを買ってくれるみたい。

Do you want anything?
（何か欲しい？）

Yeah, I want _____

_____

A 13 something cold to drink 「何か冷たい飲みもの」

> Yeah, I want **something cold to drink**.
>
> 何か冷たい飲みものが欲しい。

> ✔ **something to drink/to eat**
> 「何か飲むもの/食べるもの」
>
> something to drink「何か飲むもの」という形を使えるようになりましょう。ほかにも、something to eatは「何か食べるもの」、something to kill the painは「何か痛みを抑えるもの」を表します。

I want **something hot to drink**.
私は何か温かい飲みものが欲しいです。

I have **nothing to do** today.
今日は何もすることがありません。

Please give me **something to kill the pain**.
何か痛みを抑えるものをください。

I want to buy **something sweet to eat**.
何か甘い食べものを買いたいです。

人を伝える

Q 14

探している人はどの人？

デービッドはどの人か、教えてあげよう。

> **Which one is David?**
> （どの人がデービッド？）

> **The guy** _____
>
> _____

A 14 〜 ing「〜している」

> The guy **standing** near the table is David.
>
> テーブルの近くに立っている人がデービッドです。

✓ 現在分詞、過去分詞の使い方

現在分詞（〜ing）は「〜している」という意味を表し、前後の名詞を詳しく説明します。一方、過去分詞（〜ed）は「〜された」という意味を表します。

Look at the boy **singing** by the gate.
門のそばで歌っている少年を見てください。

Our teacher is the man **wearing** a T-shirt.
私たちの先生はTシャツを着ている男性です。

Who is the young lady **taking** pictures in the park?
公園で写真を撮っている若い女性は誰ですか？

Did the police find the **stolen** jewelry?
警察は盗まれた宝石を見つけ出しましたか？
● stolen「盗まれた」（stealの過去分詞）

比較して伝える

Q 15

隠し絵

2通りに見える隠し絵。
それぞれの見え方を説明してみよう。

‖ **One is** ------------------------------------

ヒント：首の方を捉えると、首飾りが華やかな2人の女性が首えます。「ネックレス」necklace

one is～, the other is…
「一方は～、他方は…」

> **One** is an old lady with a big nose, **the other** is a young lady with a necklace.
>
> 一人は大きな鼻のおばあさん、もう一人はネックレスをした若い女性です。

✅ 2つのものを比べる時の表現

one is～, the other is…は、「（2つのものの中で）一方は～、他方は…である」という意味です。2つのものを比べて説明する時に使える表現です。

I have two bottles of wine. **One** is sweet, **the other** is dry.
私は2本ワインを持っています。1本は甘口で、もう1本は辛口です。

I have two dogs. **One** is brown, **the other** is white.
私は2匹の犬を飼っています。1匹は茶色で、もう1匹は白色です。

The two brothers are very similar. I can't tell **one** from **the other**.
その2人の兄弟はとてもよく似ています。私には2人の区別がつきません。

I have two sisters. **One** is always talking. **The other one** is always quiet.
私には二人の姉妹がいます。一人はおしゃべりです。もう一人は静かです。

1

He is

彼は患者に親切です。

2

How long

私たちはどのくらい待たなくてはいけませんか?

3

I want to

何か甘い食べものを買いたいです。

4

She

彼女は今日は(いつもと)違いますね。

5

銀行を通り過ぎてください。

6

この近くにコンビニはありますか?

1

He is **kind to his patients.**

彼は患者に親切です。

2

How long **do we have to wait?**

私たちはどのくらい待たなくてはいけませんか?

3

I want to **buy something sweet to eat.**

何か甘いものを買いたいです。

4

She **looks different today.**

彼女は今日は(いつもと)違いますね。

5

Go past the bank.

銀行を通り過ぎてください。

6

Is there a convenience store around here?

この近くにコンビニはありますか?

数字を英語で言えるようになろう

　日常会話に数字を使った表現は欠かせません。日付、金額、体重、身長、小数、分数を英語で言えるようになりましょう。

1

I was born on February 17th, 1998.
私は、1998年2月17日に生まれました。
- 1998 = nineteen ninety eight

2

I am paid 1,000 yen per hour.
時給は1,000円です。
- 1,000 = one thousand

3

I received a New Year's gift of 10,000 yen.
お年玉で1万円もらいました。
- 10,000 = ten thousand

4

I purchased a new car for 3 million yen.
新車を300万円で購入しました。
- 300万 = three million

5

I bought a condominium for 50 million yen.
マンションを5千万円で購入しました。
- 5,000万 = fifty million

---

(6) I won **500 million** yen in the lottery.
宝くじで5億円当たりました。
- 5億 = five hundred million

(7) The population of Japan is **120 million** people.
日本の人口は、1億2千万人です。
- 1億2千万 = one hundred twenty million

(8) The world population will reach **8 billion** soon.
世界人口はまもなく80億に達するだろう。
- 80億 = eight billion

(9) My height is **182** centimeters.
私の身長は182㎝です。
- 182 = one hundred and eighty-two

(10) My weight is **64.5** kilograms.
私の体重は64.5kgです。
- 64.5 = sixty-four point five

(11) **One third** of my salary is taken as tax.
私の給料の3分の1が税金として差し引かれています。
- 3分の1 = one third

第 **2** 章

出来事や状況を
伝える
トレーニング

会話を楽しむためには、
ストーリーを伝えることが必要です。
「実はこんなことがあって…」と話せれば、
会話は広がり盛り上がっていきます。
第2章では「出来事や状況を伝えるトレーニング」
を用意しました。
イラストで描かれている出来事を
英語で説明してみましょう。

数字で伝える

Q 16

グラフの説明

グラフと図を見て、「日本の空き家の数」について
説明してみよう。

> Can you tell me about this?
> (これについて説明してもらえますか?)

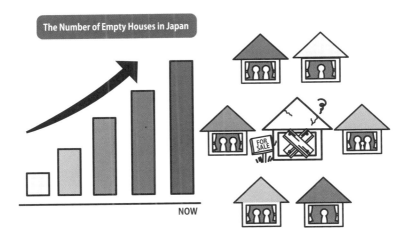

The Number of Empty Houses in Japan

NOW

> According to a survey, _____
>
> _____
>
> _____

「be＋～ing」現在進行形

According to a survey, the number of empty houses **is increasing** in Japan. One in seven houses is empty.

ある調査によると、日本では空き家が増加しています。7軒に1軒は空き家です。

✅ 現在行われている動作

現在進行形be＋～ingは、「（今）～している（ところである）」と現時点において行われている動作を表します。increaseは「増える、～を増やす」を意味し、反対にdecreaseは「減る、～を減らす」を意味します。

The world population **is increasing** every year.
世界人口は毎年増えています。
● world population「世界人口」

The population **is decreasing** in Japan.
日本では人口が減少しています。

My sister **is cooking** in the kitchen.
妹が台所で料理をしています。

My husband **is washing** the dishes.
私の夫が皿を洗っています。
● wash the dishes「皿洗いをする」

行動を伝える

Q17

出かける前に

さあ、出かけよう。準備はできた？

> **Are you ready to go?**
> （準備はできた？）

> **Wait a minute. I'm** ....
> ....

A 17 put on…「…を身につける」

Wait a minute. I'm finishing putting on my makeup.

ちょっと待って。メイクが終わるところ。

✅ "put on"と"wear"の違い

put onは、着ていない状態から「(服など)を身につける、はく」という1回の動作を意味します。化粧をする時にもput onを使います。反対に、take offは「(服など)を脱ぐ」動作を意味します。なお、wearは「(服など)を身につけている」状態を意味します。

I put on glasses when I work.
働く時、私はメガネをかけます。

Why don't you put on a coat?
コートを着たらどうですか。

You should put on your sweater because it's cold.
寒いので、セーターを着た方がいいですよ。

You should take off your sweater because it's hot.
暑いので、セーターを脱いだ方がいいですよ。

行動を伝える

Q 18

立ち上がったら

あれっ、マズいことになってる。

> **What happened?**
> （どうしたの？）

I _____

ヒント：「ペンキ」paint

when…「…する時」

I found paint on my pants **when** I stood up from the bench.

ベンチから立ち上がったら、ズボンにペンキがついちゃった。

✅ **接続詞whenの使い方**

接続詞whenは、when＋主語（〜）＋動詞（…）で、「〜が…する時」を意味します。「時」や「条件」を表す節の中では、たとえ未来のことを話す時でも、動詞は現在形を使います。

When I speak in public, I get nervous.
人前で話す時は、緊張します。
- in public「人前で」　get nervous「緊張する」

When I listen to music, it helps me relax.
音楽を聴くと、リラックスできます。

When I want to learn something new, I read books on that subject.
新しいことを学びたい時は、そのテーマに関する本を読みます。

Will you answer the phone **when** it rings?
電話が鳴ったら、出てもらえますか？
- whenの後ろは未来の話でもringsと現在形になる

理由を伝える

Q 19

怒っている理由

彼はどうして怒っているんだろう?

He is _____

_____

because〜
「なぜなら〜、〜ので」

He is mad **because** people at the back of the room are talking loudly and eating snacks.

部屋の奥の人が大声で話したり、お菓子を食べたりしているので、彼は怒っています。

✅ **理由を伝える表現**

because 〜は「なぜなら〜、〜ので」と原因・理由を意味する接続詞です。「主語＋動詞 because 主語＋動詞」の形で使うのが一般的です。しかし、Why の疑問文の返答には、「Because 主語＋動詞」の形で答えることができます。

I'll get up early tomorrow **because** I'm going fishing with my friends.
私は友だちと釣りに行くので、明日早起きします。

I went to the convenience store at midnight **because** I was very hungry.
とてもおなかが空いていたので、私は夜中にコンビニへ行きました。

I was late for the meeting **because** the train was delayed.
電車が遅れたので、私は会議に遅刻しました。
● delay「〜を遅らせる」

状況を伝える

Q20

インク切れ

あれ、プリンターの調子が……

> **What's the matter?**
> （どうしたの？）

> **The printer** ....
> ....

run out of…
「〜が不足する」

> The printer has **run out of** ink, so I can't print.
>
> プリンターのインクが切れていて、印刷できません。

✅ **"run out of"と一緒に覚えたい"run short of"**

run out of 〜は「〜が不足する」という意味です。run short of 〜も、同じように「〜が不足する」という意味です。現在完了形だけでなく、進行形で用いられることも多いです。

☐ We're **running out of** time.
☐ 私たちには時間がありません。

☐ I'm **running out of** money.
☐ お金がありません。

☐ We're **running short of** food.
☐ 食料が不足しています。

Q21

状況を伝える

止まらない！

彼女は四季の中で春が一番苦手。どうして？

She has _____

She _____

A21　can't ～
「～することができない」

> She has seasonal allergies.
> She **can't** stop sneezing.
>
> 彼女は花粉症です。
> くしゃみが止まりません。

✅ 「～することができない」「～するはずがない」

助動詞can「～することができる」の否定は、can't「～することができない」です。また、can't beには「～するはずがない」の意味もあります。過去形は、could/couldn't「～することができた／～することができなかった」です。助動詞の後には、動詞の原形がきます。

☐ I **can't** run any more.
☐ 私はこれ以上走れません。

☐ I **can't** explain the problem clearly.
☐ 私はその問題を明確に説明できません。

☐ I **couldn't** stop crying during the last scene.
☐ 私はラストシーンでは涙が止まりませんでした。

☐ That **can't** be true.
☐ そんなはずはありません。
☐ • can't be「～のはずがない」

予定を伝える

Q22

楽しみにしている予定

彼女はどうして週末を楽しみにしているんだろう？

> **Why is she excited about this weekend?**
> （どうして彼女は週末を楽しみにしているの？）

Her wedding

A22 take place「開催される」

Her wedding will **take place** this weekend.
She can't wait.

彼女の結婚式は今週末に行われます。
彼女は待ち切れません。

✓ take placeと一緒に覚えたい表現

take placeは「（予定された行事が）行われる、開催される」という意味です。
なお、偶発的に起こる事故や地震の場合には、happen「（偶発的に何か
が）起こる」またはoccur「（偶発的に何かが）起こる」を使います。

On July 6th, a firework festival **took place**.
7月6日に花火大会は開催されました。
● take placeは予定通りに開催されたというニュアンス

The accident **happened** last Sunday.
その事故は先週日曜日に起きました。
● happenは偶発的に起きたというニュアンス

The big earthquake **occurred** in the middle of the night.
その大地震は夜中に発生しました。
● occurも偶発的に起きたというニュアンス

条件を伝える

Q23

天気予報によると

明日雨だったら、野球の試合はどうなる？

> **What if it rains tomorrow?**
> （明日雨だったらどうなる？）

If _____
_____

A23 ## if～「もし～ならば」

> **If** it rains tomorrow, the baseball game will be canceled.
> I hope it will be sunny.
>
> 明日雨が降ったら、野球の試合は中止です。
> 晴れるといいな。

✅ ifの中は、未来の話題でも現在形

接続詞ifは、if＋主語（～）＋動詞（…）で、「もし～が…ならば」を意味します。接続詞whenは、when＋主語（～）＋動詞（…）で、「～が…する時」を意味します。「時」や「条件」を表す節の中では、たとえ未来のことを話す時でも、動詞の時制は現在形です。

☐
☐ **If** you turn right, you will see Tokyo Skytree.
☐ 右に曲がれば、東京スカイツリーが見えます。

☐
☐ We'll stay home **if** it rains tomorrow.
☐ 明日もし雨が降れば家にいるつもりです。

☐
☐ **When** you are busy, I will help you.
☐ あなたが忙しい時は、お手伝いします。

---

1 **We're** _____

私たちには時間がありません。

2 **You** _____

_____

寒いので、セーターを着た方がいいですよ。

3 **The population is** _____

日本では人口が減少しています。

4 **Will you** _____

電話が鳴ったら、出てもらえますか?

5 _____

そんなはずはありません。

6 _____

明日もし雨が降れば家にいるつもりです。

1 We're running out of time.
私たちには時間がありません。

2 You should put on your sweater because it's cold.
寒いので、セーターを着た方がいいですよ。

3 The population is decreasing in Japan.
日本では人口が減少しています。

4 Will you answer the phone when it rings?
電話が鳴ったら、出てもらえますか?

5 That can't be true.
そんなはずはありません。

6 We'll stay home if it rains tomorrow.
明日もし雨が降れば家にいるつもりです。

理由を伝える

Q 24

ジョギングを始めた理由

最近ジョギングを始めたんだ。その理由は？

> **Why did you start jogging?**
> （なんでジョギングを始めたの？）

Summer

> **I want to** ....
> ....

A24 lose weight
「体重を減らす」

> I want to lose weight before the summer.
>
> 夏までに体重を減らしたい。

✅ **体重にまつわる表現**

weight「体重」、lose weight「体重を減らす」、gain weight「体重を増やす」、weigh「〜の重さを量る、〜の重さがある」など体重に関する表現を覚えましょう。

How did you lose weight?
どのように体重を減らしましたか?

How much does it weigh?
それはどれくらいの重さですか?

I do weight training as part of my daily routine.
私は日常のルーティンの一環としてウエイトトレーニングをしています。

I weigh 60 kilograms.
私の体重は60キログラムです。

予定を伝える

Q25

いつまでに終わる？

いつまでに終わりそうか伝えよう。

> ## How long is it going to take?
> （どれくらいの時間がかかりそうですか？）

I'm _____

_____

be going to~
「~するつもりだ」

I'm going to finish by 1 p.m.

午後1時までに終わるつもりです。

> ✅ **be going toは予定を伝えるニュアンス**
>
> be going to＋動詞の原形には、①「(前もって計画していて)~するつもりである」、②「~だろう(推量)」の意味があります。一方、willは、①「(その場で決めて)~するつもりである(意志)」、②「~するだろう(未来)」という意味です。

I'm going to join the gym.
私はジムに入会する予定です。

I'm going to deliver this to a customer.
私はお客さんにこれを届ける予定です。
● deliver「~を配達する」customer「お客」

What **are** you **going to** do this summer?
この夏、あなたは何をするつもりですか?

I'm going to travel to the States.
私はアメリカへ旅行する予定です。

I'll call you later.
私は後であなたに電話します。

状況を伝える

Q26

オンライン会議

みんなが驚いてる！ 何が起きた？

When Tim _____

_____

pants 常に複数形の単語

> When Tim stood up, everybody saw that he was not wearing pants.
>
> ティムが立ち上がると、みんなは彼がズボンをはいていないことに気づきました。

✓ ズボン、靴、メガネはいつも複数形

日本人が「1個、1つ」だと感じるものでも、英語では複数形になる単語があります。基本的に2つが対になっているpants「ズボン」、shoes「靴」、glasses「メガネ」などがいい例です。なお、数を数える時には、a pair of glasses「メガネ1つ」のように使います。

☐ Let me try on these pants.
☐ このズボンを試着させてください。

☐ I need to buy new shoes.
☐ 新しい靴を買う必要があります。

☐ I need to buy a new pair of shoes.
☐ 新しい一足の靴を買う必要があります。

☐ Have you seen my glasses?
☐ 私のメガネを見ましたか?

状況を伝える

Q27

誘いを断る

友だちから誘われたけど、Stellaが心配。

> Let's go to the movies.
> （映画を見に行こう）

> I'm sorry, ...
>
> ....

A 27 take care of～
「～の世話をする」

I'm sorry, I can't. I have to take care of my cat. She is seriously ill now.

ごめん、行けない。ネコの世話をしないといけないんだ。今、重い病気で。

✔ **takeを使ったさまざまな表現**

take care of ～「～の世話をする」、take advantage of ～「～を利用する、～を生かす」、take part in ～「～に参加する」など、takeを使った表現を使えるようになりましょう。

He takes care of his sister.
彼は妹の世話をします。

He took advantage of the quiet library to study.
彼は静かな図書館を利用して勉強しました。

We took advantage of the sunny weather to do the laundry.
晴れた天気を生かして洗濯をしました。
● do the laundry「洗濯をする」

I'm planning to take part in the annual charity event.
私は毎年行われるチャリティイベントに参加する予定です。
● annual charity event「毎年行われるチャリティイベント」

行動を伝える

Q 28

彼女募集中

彼が最近始めたことは何？

He _____

_____

A28 look for～「～を探す」

He started to look for a new girlfriend on a dating app.

彼はマッチングアプリで新しい恋人を探し始めました。

✓ lookを使った表現を覚えよう

look for ～「～を探す」、look up ～「～を調べる」、look at ～「～を見る」など、lookを使った表現を使えるようになりましょう。

I need to look for a new apartment.
新しいアパートを探さなければなりません。

I'm looking for volunteers to help with the event.
イベントの手伝いをするボランティアを探しています。

I'm looking for a job in a publishing company.
出版社での仕事を探しています。
• publishing company「出版社」

Could you look up the address of the restaurant on the website?
ウェブサイトでレストランの住所を調べていただけますか?

数字を伝える

Q 29

料 金 表

あなたはマリンスポーツのレンタルショップで働いています。
料金を案内してください。

I'd like to ride the banana boat, please.
（バナナボートに乗りたいのですが）

PRICE LIST

Banana boat	$30
Jet skiing	$30
Surfing	$30
Two or more activities	20% discount

Sure, each activity _____

There is a _____

_____

cost
「（金額・費用が）かかる」

> Sure, each activity **costs** thirty dollars. There is a twenty percent discount on two or more activities.
>
> もちろん、各アクティビティは30ドルです。2つ以上のアクティビティをご利用の場合は、20％割引になります。

✓ 料金を伝えたり、聞いたりする表現

costは「（金額・費用が）かかる、〜を要する」という意味です。How much does it cost? で、「それはいくらですか?」と料金を尋ねることができます。It costs twenty dollars. のように答えることができます。

☐ This shirt **costs** thirty dollars.
☐ このシャツは30ドルです。

☐ How much does it **cost** to buy a house around here?
☐ この辺りで家を買うにはいくらかかりますか?

☐ How much does it **cost**?
☐ それはいくらですか?

☐ This hat **costs** five hundred dollars.
☐ この帽子は500ドルします。

行動を伝える

Q 30

かつては

Alexは昔よく何をしていた？　今はどうだろう？

Alex

_____

_____

_____

ヒント：「マラソンをする」run marathons

used to~
「以前はよく~していた」

Alex **used to** run marathons when he was young.
He can't run long distances now.

アレックスは若い頃、よくマラソンをしていました。
今は長距離を走ることができません。

> ✓ 過去の習慣、過去の状態
>
> used to＋動詞の原形は、①「以前はよく~したものだ（過去の習慣）」、②「かつては~だった（過去の状態）」という意味を表します。なお、used [ju:st] は、発音にも注意が必要です。

I **used to** make pizza with friends.
私は友達とピザを作ったものでした。
● 過去の習慣

I **used to** play tennis every Sunday.
私は毎週日曜日にテニスをしたものでした。
● 過去の習慣

He **used to** live by the ocean.
彼はかつて海の近くに住んでいました。
● 過去の状態

There **used to** be a fast-food restaurant here.
ここにファストフード店がありました（今はもうありません）。
● 過去の状態

状況を伝える

Q31

天気予報を確認

明日の天気はどう？

> Do you know what the weather will be like tomorrow?
> （明日の天気はどうなるか知っていますか？）

> It will be _____
>
> The low temperature _____
>
> _____

A31　fine「いい天気」

It will be **fine** all day.
The low temperature will be thirteen
degrees and the high will be twenty.

一日中晴れです。
最低気温は13度、最高気温は20度でしょう。

> ✅ 天気に関する英語を覚えよう
>
> humid「湿度が高い」、humidity「湿度」、stormy「暴風雨の」、fine
> 「晴れた」、cloudy「曇った」、cloud「雲」、fog「霧」、snowy「雪の
> 多い」、lightning「稲妻、稲光」など天気に関する英語を覚えましょう。ま
> た、It's cloudy today.「今日は曇っています」のように、天候や時間な
> どを表す文にはitを用いるので注意しましょう。

We had **heavy rain** in Tokyo.
東京では激しい雨が降りました。

Let's check the **weather forecast**!
天気予報をチェックしましょう!
● weather forecast「天気予報」

It has been very **humid** here.
ここはとても湿気があります。
● 天候のit

The **rainy season** starts in June.
6月に梅雨が始まります。

1 **This shirt** _____

このシャツは30ドルです。

2 **There** _____

_____

ここにファストフード店がありました。

3 **I need to** _____

新しいアパートを探さなければなりません。

4 **I** _____

私の体重は60キログラムです。

5 _____

私はジムに入会する予定です。

6 _____

このズボンを試着させてください。

復習 4　瞬間的に言えるようになるまで何度も繰り返そう

1 This shirt costs thirty dollars.
このシャツは30ドルです。

2 There used to be a fast-food restaurant here.
ここにファストフード店がありました。

3 I need to look for a new apartment.
新しいアパートを探さなければなりません。

4 I weigh 60 kilograms.
私の体重は60キログラムです。

5 I'm going to join the gym.
私はジムに入会する予定です。

6 Let me try on these pants.
このズボンを試着させてください。

数字を伝える

Q32

骨董品の価値

彼女はどうして驚いているんだろう?

She is surprised that

_____

_____

ヒント:「花瓶」vase

A 32

be worth〜
「〜の価値がある」

> She is surprised that her vase is worth 1 million dollars.
>
> 彼女は自分の花瓶に100万ドルの価値があることに驚いています。

✔ be worth〜の後ろに〜ing

be worth 〜は、「〜の価値がある」という意味です。be worth 〜ing「〜する価値がある」の形で使われることもあります。

How much is the violin worth?
そのバイオリンにはいくらの価値があるのですか?

It's worth watching.
それは見る価値があります。

The museum is worth visiting.
その美術館は訪れる価値があります。

● museum「美術館」

It's worth climbing Mt. Fuji.
富士山に登ることは価値があります。

出来事を伝える

Q33

目 覚 ま し 時 計

寝坊だ！ でも、朝 7 時に目覚ましをセットしたはずなのに…

Why did you oversleep?
（なぜ寝坊したのですか？）

I set

A33 instead of~ 「~の代わりに」

I set my alarm clock for 7 p.m. **instead of** 7 a.m.

目覚ましを朝7時の代わりに夜7時にセットしちゃった。

> ✔ **instead of~の後ろには名詞か~ing**
>
> instead of ~「~の代わりに」やaccording to ~「~によれば」のように、2語以上の語がまとまって1つの前置詞の働きをするものがあります。前置詞の後ろは、動詞の場合、動名詞の形に変えます。

I have to attend the meeting **instead of** my boss.
私は上司の代わりに会議に出席しなければなりません。

I want to take a plane **instead of** a train.
私は電車の代わりに飛行機に乗りたいです。

Let's go shopping **instead of** going to a movie.
映画に行く代わりにショッピングに行きましょう。

According to the forecast, it's going to rain today.
予報によれば、今日は雨が降るらしい。

状況を伝える

Q34

雨がやんだら

さっきまで雨が降っていたけれど、今はどうだろう?

Is it still raining?
(まだ雨は降っていますか?)

It _____

I see _____

A34 stop ～ing 「～することをやめる」

It **stopped raining**.
I see a beautiful rainbow in the sky.

雨はやみました。
空にはきれいな虹が見えます。

> ✅ "**stop ～ing**"と"**stop to～**"の違い
>
> stop ～ingは、「～することをやめる」という意味です。一方、stop to～は「～するために立ち止まる」という意味です。意味が異なるので注意しましょう。

☐ I **stopped** smoking after my son was born.
☐ 息子が生まれた後、私はタバコを吸うことをやめました。

☐ I **stopped to** smoke.
☐ 私はタバコを吸うために立ち止まりました。
　● stop to～「～するために立ち止まる」

☐ I **stopped to** take pictures.
☐ 私は写真を撮るために立ち止まりました。

☐ I **stopped** playing games online.
☐ 私はオンラインゲームをすることをやめました。

予定を伝える

Q35

スケジュールの調整

2人のスケジュールが合う日はいつ?

> Let's find a good time for both of us.
> (お互いに都合がいい時を見つけよう)

On Thursday, I _____

On Friday night, you _____

So, _____

_____

A35 convenient「都合がいい」

On Thursday, I have a business trip.
On Friday night, you have a party.
So, Saturday afternoon is convenient
for both of us.

木曜日に、私は出張があります。
金曜夜は、あなたはパーティーがありますね。
だから、土曜日午後がお互いにとって都合がいいですね。

✓ "convenient"と一緒に覚えたい"available"

convenientは「(場所、もの、時間などが)～にとって便利な、都合がいい」
という意味です。convenientは、場所やものが主語になるので注意が必
要です。一方、availableは「(人が)時間がある、応対できる、(ものが)
利用できる、入手できる」を意味します。

☐☐☐ When is convenient for you?
あなたにはいつが都合いいですか?

☐☐☐ Visit me when it's convenient for you.
あなたのご都合のいい時に来てください。

☐☐☐ Is March 16th convenient for you?
3月16日はご都合いかがですか?

☐☐☐ When will you be available?
いつ都合がいいですか?

Q36

原因と結果を伝える

空港の運航情報

私たちが搭乗するのはCX509。あれ私たちの便が……

> **What's the matter?**
> （どうしたの？）

> **Our flight** _____
>
> _____

because of〜「〜のために」

Our flight to Hong Kong has been
canceled because of the typhoon.

台風の影響で、香港行きの飛行機が欠航になりました。

✅ **because of〜の後ろには名詞か〜ing**

because of 〜「(原因・理由)〜のために」や、thanks to 〜「〜のおか
げで」のように、2語以上がまとまって1つの前置詞の働きをするものがあり
ます。前置詞の後ろには、名詞または動名詞がくることに注意しましょう。

☐☐☐ Because of the accident, the road was closed.
事故のため、道路は閉鎖されました。

☐☐☐ I had to stay at home because of the big storm.
暴風のため、私は家にいなければなりませんでした。

☐☐☐ Because of her help, I could finish my project.
彼女の助けにより、私はプロジェクトを終わらせることができました。

☐☐☐ Thanks to you, the party was a success.
あなたのおかげで、パーティーは成功しました。

状況を伝える

Q37

試着したけれど

ズボンを試着したけれど…

Is everything all right?
（大丈夫ですか？）

These _____

_____

A37 too tight to wear 「きつすぎて着れない」

These pants are **too** tight **to** wear.

このズボン、きつすぎてはけません。

> ✅ **too ～ to…「～すぎて…できない」**
>
> too ～ to…は「…するには～すぎてできない」を意味し、～には形容詞が、…には動詞の原形がきます。notを使わなくても否定の内容を伝えることができます。

I am **too** tired **to** focus on my work.
私は疲れすぎて仕事に集中することができません。
● focus on～「～に集中する」

I am **too** sleepy **to** watch a movie.
映画を見るには眠すぎます。

The traffic is **too** heavy **to** drive through quickly.
交通量が多くて素早く通り抜けることができません。

The suitcase is **too** heavy **to** carry by myself.
そのスーツケースは重すぎて私1人では運べません。
● by oneself「自分1人で、独力で」

行動を伝える

Q38

先生の注意

先生は何を注意している？

The teacher

tell ～ to…
「～に…するように言う」

> The teacher **told the children to** be quiet.
>
> 先生は子どもたちに静かにするように言った。

✔ 人に～するように言う

tell ～ to…は「～に…するように言う」、ask ～ to…は「～に…するように頼む」という意味です。なお「～に…しないように言う/頼む」は、to の直前にnotを置いて、tell/ask～not to…にします。

I **told him to** exercise more.
私は彼にもっと運動するように言いました。

She **told me to** finish the report before lunch.
彼女は私に昼食前にレポートを仕上げるように言いました。

I **asked my teacher to** check my English.
私は先生に英語をチェックしてもらうように頼みました。

She **asked me not to** waste electricity.
彼女は私に電気を無駄にしないように頼みました。

• waste electricity「電気を無駄にする」

行動を伝える

Q39

静かにしている理由

両親は何をしている？　どうして？

The parents

A39 in order not to〜「〜しないように」

> The parents are speaking quietly **in order not to** wake up their baby.
>
> 赤ちゃんを起こさないように、両親は静かに話しています。

✅ **目的を強調する表現**

in order to＋動詞の原形（〜）「〜するために」は、目的の意味をより明確に表すことができます。in order not to 〜とtoの直前にnotを置くと「〜しないように」の意味になります。

I hurried to the station **in order to** catch the last train.
最終電車に間に合うように、私は駅に急ぎました。

I wake up early **in order not to** be late for work.
仕事に遅れないよう、私は早起きします。

She goes jogging every day **in order to** lose weight.
彼女は体重を減らそうと毎日ジョギングをしています。

You have to be good at English **in order to** become a translator.
翻訳者になるためには、英語が得意でなければなりません。

● translator「翻訳者」

---

1 I _____

私は彼にもっと運動するように言いました。

2 The suitcase _____

そのスーツケースは重すぎて私1人では運べません。

3 Visit me _____

あなたのご都合のいい時に来てください。

4 It's _____

それは見る価値があります。

5 _____

私は写真を撮るために立ち止まりました。

6 _____

私は上司の代わりに会議に出席しなければなりません。

1 I told him to exercise more.

私は彼にもっと運動するように言いました。

2 The suitcase is too heavy to carry by myself.

そのスーツケースは重すぎて私1人では運べません。

3 Visit me when it's convenient for you.

あなたのご都合のいい時に来てください。

4 It's worth watching.

それは見る価値があります。

5 I stopped to take pictures.

私は写真を撮るために立ち止まりました。

6 I have to attend the meeting instead of my boss.

私は上司の代わりに会議に出席しなければなりません。

お願いする

Q 40

手伝ってもらう

重くて運べない。手伝ってもらおう。

Please

A40 help me carry 「私が運ぶのを手伝う」

Please **help me carry** these boxes to the second floor.

この箱を2階に運ぶのを手伝ってください。

> ✅ **help＋人＋動詞の原形**
>
> help ＋人＋動詞の原形（〜）は「人が〜するのを手伝う」を意味します。

I **helped him practice** speaking English.
私は彼が英語を話す練習をするのを手伝いました。
- practice 〜ing「〜する練習をする」

She **helped me buy** a gift for my friend's birthday.
彼女は私が友人の誕生日に贈り物を買うのを手伝ってくれました。

She **helped me prepare** for the party.
彼女は私がパーティーの準備をするのを手伝ってくれました。
- prepare for〜「〜を準備する」

Could you **help me fix** my computer, please?
お願いですが、私のコンピューターを修理していただけますか?
- fix「〜を修理する」

状況を伝える

Q41

食べすぎて

彼はどうしたの？

He
_____

_____

A41 eat so much that~「食べすぎて~」

> He ate **so much that** he got sick.
>
> 彼は食べすぎて具合が悪いです。

✅ so ～ that…程度と結果を伝える表現

so ～ that…「とても～なので（その結果）…である」の～には、形容詞か副詞がきます。また、thatが省略されることもあります。

☐☐ I was **so tired that** I needed to take a rest.
私はとても疲れていたので、休息が必要でした。

☐☐☐ The meeting was **so boring that** I fell asleep.
会議がとても退屈だったので、私は眠ってしまいました。
- fall asleep「眠り込む」

☐☐☐ The bus was **so crowded that** I had to stand for a long time.
バスはとても混んでいたので、長い間立っていなければなりませんでした。
- crowded「混雑した」

☐☐ I worked **so hard that** I got very tired.
私は働きすぎて、疲れました。

1st		2nd		3rd		4th		5th	
月	日	月	日	月	日	月	日	月	日

お願いする

Q42

ギフトを贈る時に

ギフトとして贈りたい。お店の人にお願いしよう。

ヒント：「〜をギフト包装する」gift-wrap

A42 I'd like you to～
「あなたに～してほしい」

I'd like you to gift-wrap it please.

ギフト包装をお願いしたいのですが。

> ✅ **誰かにお願いをする時の表現**
>
> would like to ～は「～したい」を意味します。「人に～してもらいたい」
> 時には、would like 人 to ～のように、likeとtoの間に人を入れます。

I'd like you to help me with this project.
あなたにこのプロジェクトを手伝ってもらいたいです。

I'd like you to try this new recipe I made.
私が作ったこの新しいレシピをあなたに試してもらいたいです。
● recipe「レシピ」

I'd like you to review this report before the meeting.
会議前にこのレポートを見直してもらいたいです。
● review 「～を見直す」

I'd like you to take care of my pets while I'm away.
私が留守の間、ペットの世話をお願いしたいです。
● take care of ～「～を世話する」

行動を伝える

Q43

待ち合わせ場所に着いたけれど

待ち合わせ場所に着いたけど、見当たらないなあ。

Where are you?
（どこにいる？）

I _____

_____

A43
have just arrived 「ちょうど着いた」

I **have just arrived** at Gate station.

ゲート駅にちょうど着きました。

✓ 現在完了形の2つの使い方

現在完了は、have ＋過去分詞「〜したところである」で完了の意味を表します。この用法は、just「ちょうど（〜した）」、already「すでに（〜した）」や、yet「もう（〜したか）」「まだ（〜ない）」などとともによく用いられます。「（今までに）〜したことがある」と経験を表す用法もあります。

☐ I **have just cooked** a delicious dinner.
☐ 私はちょうど美味しい夕食を作ったところです。(完了)

☐ I **have just bought** new clothes.
☐ ちょうど新しい服を買いました。(完了)

☐ **Have you finished** your report yet?
☐ もうレポートは終わりましたか？(完了)

☐ I **have been** to Hawaii.
☐ ハワイに行ったことがあります。(経験)

ルールを説明する

Q 44

ゴミの分別

ゴミを袋ごと捨てようとしています。注意してあげてください。

> **Can I throw it away here?**
> （ここに捨ててもいいですか？）

> We

ヒント：「ゴミ」garbage

A44 separate〜by…「〜を…(ある基準)で分ける」

We have to **separate** garbage **by** type.

ゴミを種類ごとに分別しなければなりません。

> ✔ **separate〜by/intoの形を覚えよう**
>
> separate 〜 by…は「〜を…(色や形などのある基準) で分ける」という意味です。 separate 〜 into…は「〜を…(グループなど) に分ける」を意味します。divide 〜 into…「〜を…に分ける」もあわせて覚えましょう。

We need to **separate** clothes **by** color.
私たちは服を色別に分ける必要があります。

Can you **separate** books **by** size?
サイズ別に本を分けることはできますか?

I want to **separate** you **into** three groups.
あなたたちを3つのグループに分けたいです。

I **divided** my presentation **into** four sections.
私はプレゼンを4つのセクションに分けました。

出来事を伝える

Q45

昔の友人

先日、幼なじみとばったり遭遇したのだけれど、
一目では……

> He ....
>
> I could ....

ヒント：「首を付ける」、recognize

A 45 | hardly…「ほとんど〜ない」

He has changed a lot.
I could **hardly** recognize him at first.

彼はずいぶん変わっちゃって。
最初はほとんどわからなかった。

> ✅ **hard** とは意味が違う**hardly**
>
> hardlyは「（程度が）ほとんど〜ない」を意味する副詞です。なお、hardも
> 副詞ですが、「懸命に」を意味します。

I can **hardly** sleep at night.
私は夜ほとんど眠れません。

I can **hardly** hear you.
私にはあなたの言うことがほとんど聞こえません。

I can **hardly** believe my eyes.
私は自分の目を信じられません。

I **hardly** knew how to use the computer.
私にはそのコンピューターの使い方がほとんどわかりませんでした。

順番に説明する

Q 46

神社のマナー

観光客に神社の二拝二拍手一拝を
順番に説明してみよう。

First,

ヒント:「お辞儀する」bow

first, second, finally
「最初に、次に、最後に」

First, bow twice.
Second, clap your hands twice and make your wish.
Finally, bow one more time.

最初に二回お辞儀をします。
次に拍手を二回打ち、お祈りをします。
最後に、もう一回お辞儀をします。

✔ 説明を明快にする列挙の表現

副詞の中には、文と文の論理関係を示すものがあり、ディスコースマーカーと呼ばれます。物事を列挙する場合、first「最初は」、second「次に」、then「それから」、finally「最後に」などを使うと、わかりやすく説明できます。

First, take the Chiyoda line from Machiya station.
Second, change to the Yamanote line at Nishi-Nippori station.

最初に、町屋駅から千代田線に乗ってください。次に、西日暮里駅で山手線に乗り換えます。

First, add oil to the pan and heat up. **Then,** crack the egg into the pan. **Finally,** let the egg cook until the whites are set.

最初に、フライパンに油をひいて温めてください。それから、卵を割ってフライパンに入れます。最後に、白身が固まるまで焼いてください。

理由を伝える

Q 47

いつもと違う道

いつもと違う道を通るのはどうして？

Why are you driving a different route today?
（なんで今日はいつもと違う道で行くの？）

The usual ....

....

be closed
「閉鎖されています」

> The usual roads **are closed** for repairs.
>
> いつもの道は修理のため閉鎖されています。

✔ 受動態の文章

受動態は、be 動詞＋過去分詞 (…)＋(by 〜) で、「(〜によって)…される」という意味です。また、特に必要がない場合は、受動態でもby 〜が省略されます。

☐ I **was moved by** the last scene.
☐ 私はラストシーンに感動しました。

☐ The presentation **was given by** our section leader.
☐ プレゼンテーションは、私たちの部署のリーダーによって行われました。

☐ She **was presented with** the special award.
☐ 彼女には特別な賞を授与されました。
● be presented with 〜「〜を贈られる」　special award「特別賞」

☐ The concert tickets **were sold out** within minutes.
☐ コンサートのチケットは数分で完売しました。
● be sold out「売り切れる」

状況を伝える

Q48

世界第1位

今年行くべき世界の旅行先で
1位に選ばれた場所はどこですか?

London

A48

chosen as～
「～として選ばれる」

> London was **chosen as** first place in the survey.
>
> 調査では、ロンドンが第1位に選ばれました。

✔ choose ～as…「～を…として選ぶ」

chooseは「～を選ぶ」ですが、choose ～ as…「～を…として選ぶ」の形があります。select ～ as…「～を…として選ぶ」も同じように使われます。

We **chose** Tim **as** captain of the tennis club.
テニスクラブのキャプテンに、私たちはティムを選びました。

Paris was **chosen as** the site for the Olympics.
パリがオリンピックの開催地として選ばれました。
● site「会場」

She was **chosen as** the best actress of the year.
彼女が今年の最優秀女優に選ばれました。

He was **selected as** the manager.
彼はマネージャーに選ばれました。

1

I

私はプレゼンを4つのセクションに分けました。

2

She

彼女は私がパーティーの準備をするのを手伝ってくれました。

3

I

私はラストシーンに感動しました。

4

I'd

あなたにこのプロジェクトを手伝ってもらいたいです。

5

ハワイに行ったことがあります。

6

パリがオリンピックの開催地として選ばれました。

1 I **divided my presentation into four sections.**
私はプレゼンを4つのセクションに分けました。

2 She **helped me prepare for the party.**
彼女は私がパーティーの準備をするのを手伝ってくれました。

3 I **was moved by the last scene.**
私はラストシーンに感動しました。

4 I'd **like you to help me with this project.**
あなたにこのプロジェクトを手伝ってもらいたいです。

5 I **have been to Hawaii.**
ハワイに行ったことがあります。

6 Paris **was chosen as the site for the Olympics.**
パリがオリンピックの開催地として選ばれました。

語源を知って
使える英単語を増やそう

　英語の語源を知れば、初めて出会う単語でも意味を推測できるようになり、芋づる式に英単語を増やすことができます。単語をなかなか覚えられないという人は、ぜひ語源を意識しながら学習を進めてみてください。ここでは、単語の先頭や末尾で頻繁に出現する語を紹介します。

---

① 「動詞を作る」働きを持つ［en－, －en］

large「大きい」⇒ enlarge「～を拡大する」

rich「金持ちの」⇒ enrich「～を豊かにする」

sharp「鋭い」⇒ sharpen「～を鋭くする、削る」

---

② 「否定」の意味を持つ［dis－］

appear「現れる」
　⇒ disappear「姿を消す、見えなくなる」

agree「賛成する」⇒ disagree「反対する」

like「～が好きである」⇒ dislike「～を嫌う」

---

③ 「再び」の意味を持つ［re－］

use「～を使用する」⇒ reuse「～を再利用する」

view「～を見る」⇒ review「～を見直す、再検討する」

write「～を書く」⇒ rewrite「～を書き直す」

「誤って」の意味を持つ［mis－］

④

understand「〜を理解する」
　⇒ misunderstand「〜を誤解する」

take「〜を取る」⇒ mistake「〜を間違える」

lead「〜を導く」⇒ mislead「〜を欺く、誤解させる」

「〜でない」の意味を持つ［un－］

⑤

known「知られた」
　⇒ unknown「知られていない、無名の」

kind「親切な」⇒ unkind「不親切な」

familiar「よく知られた」
　⇒ unfamiliar「よく知られていない、未知の」

参考文献：『イラストでわかる中学英語の語源事典』（清水建二・すずきひろし）PHP文庫

第 **3** 章

気持ちや考えを
伝える
トレーニング

コミュニケーションを深めるためには、
気持ちや考えを伝えることが不可欠です。
気持ちや考えををを表現できれば、
あなたのことを知ってもらえるし、
相手に共感を示すこともできます。
第3章は
「気持ちや考えを伝えるトレーニング」です。
感情や思考にまつわる表現を
使いこなせるようになりましょう。

考えを伝える

Q 49

決意

遊びの誘いをもらったけど、決意したんだ。

I _____

_____

decide to〜
「〜することに決める」

> I **decided to** study harder for my exams.
>
> 試験勉強を頑張ることに決めました。

✅ **to＋動詞の原形「〜すること」**

decide to 〜「〜することに決める」、hope to 〜「〜することを望む」、
need to 〜「〜することを必要とする」、offer to 〜「〜することを申し出
る」 などがあります。

☐ I **decided to** change my plan.
☐ 私は計画を変更することにしました。

☐ I **decided not to** go to the party.
☐ 私はパーティーには行かないことにしました。
☐ ● notの位置に注意

☐ I **need to** fix my bike.
☐ 自転車を修理することが必要です。

☐ I **hope to** pass the examination.
☐ 試験に受かることを望みます。

Q 50　ポジティブな感情を伝える

ハロウィンパーティー

あなたはハロウィンパーティーで何を楽しみにしている?

> Are you coming to the Halloween party?
> （ハロウィンパーティーには行くの?）

> Sure, I'm _____
>
> _____

ヒント:「仮装する」dress up

A50 look forward to~「~することを楽しみにする」

> Sure, I'm looking forward to dressing up for the party.
>
> もちろん、パーティーのために仮装するのが楽しみ。

✓ toの後ろには~ingか名詞

look forward to ~ing「~することを楽しみに待つ」やget used to ~ing「~することに慣れる」など、前置詞のtoの後には、動名詞か名詞がくることに注意しましょう。

I'm looking forward to going to the beach.
ビーチに行くことを楽しみにしています。

I'm looking forward to working in Singapore.
シンガポールで働くことを楽しみにしています。

What are you looking forward to this year?
今年は、何を楽しみにしているのですか?

You will get used to the new office.
(すぐに)新しい会社に慣れるでしょう。

ネガティブな感情を伝える

Q51

高所恐怖症

景色はいいけど苦手なんだよなあ…

> Look! What a great view!
> （見て、最高の眺めだ!）

I'm _____

I feel _____

be scared of～
「～を恐れる」

A51

I'm scared of high places.
I feel sick and dizzy.

高いところは怖いんです。
気持ち悪くてめまいがします。

✅ **感情を表す言葉は受動態で使うことが多い**

be scared of ～「～を恐れる」や、be satisfied with ～「～に満足する」など、日本語ではふつう「～する」と能動的に表すのに、英語では受動態を使います。特に人の感情や心理状態を表すものに多く見られます。

I'm scared of earthquakes.
私は地震が怖いです。

What are you scared of?
あなたは何が怖いのですか?

I'm scared of swimming in the sea.
私は海で泳ぐのが怖いです。

I was not satisfied with the result.
私はその結果に満足していませんでした。

ポジティブな感情を伝える

Q 52

クリスマス

クリスマスの夜に彼女は眠れないみたい。
なぜだろう？

She _____

_____

A52

excited
「ワクワクしている」

She can't sleep because she is so
excited about her presents.

プレゼントが楽しみで、彼女は眠れません。

✅ "excited"と"exciting"の使い分け

be excitedは「（人が）興奮した」という意味です。一方、excitingは
「〈人・物が〉（人にとって）興奮させるような、エキサイティングな」という意
味の形容詞です。be surprised「（人が）驚いた」、suprising「（人やもの
が）驚かせるような」など、人の感情を表す形容詞の使い方に注意しましょう。

I'm **excited** to work with you.
あなたと一緒に仕事ができることに私はワクワクしています。

It was so **exciting** to sing in front of a large audience.
多くの観客の前で歌うことはとてもエキサイティングでした。
● in front of〜「〜の前で」　audience「観衆」

Soccer is a very **exciting** sport.
サッカーはとてもエキサイティングなスポーツです。

同情を伝える

Q53

友人のケガ

友人が事故に遭ってケガをしたようだ。

Ryan was seriously injured
in the car accident.
（ライアンが自動車事故に遭ってケガをしたんだ）

Is he OK?

I feel _____

A53 feel sorry for～ 「～を気の毒に思う」

Is he OK?
I **feel sorry for** him.

大丈夫なの?
彼、かわいそうに……。

> ✅ **sorryの「ごめんなさい」以外のニュアンス**
> feel sorry for～は、「～を気の毒に思う、～をすまなく思う」の意味です。
> be seriously injured ～は「～で重傷を負う」という意味です。

☐ I **feel sorry for** the students who failed the test.
☐ 試験で落第した学生を気の毒に思います。

☐ I **feel sorry for** the manager because many people are
☐ talking in the meeting.
☐ 会議で多くの人がおしゃべりしているので、マネージャーを気の毒に
思います。

☐ I'm **sorry for** being late.
☐ 遅れて申し訳ありません。

不安な感情を伝える

Q54

スピーチ

彼の気持ちを説明してみよう。

He _____

_____

A54 feel nervous「緊張する」

He **feels nervous** when he speaks in front of people.

彼は人前で話す時に、緊張します。

✓ 主語と動詞の後ろがイコールの関係

上の文章は、SVC（主語＋動詞＋補語）「SはCです」の形です。CはSを説明し、S＝Cの関係になります。Cには、形容詞や名詞（句）などがきます。be動詞のほかに、feel「〜を感じる」やsound「〜のように聞こえる」もSVCの動詞として使われます。

I **felt** sick with a fever.
熱が出て気分が悪くなりました。

I **feel** dizzy when I look down from the top of the tower.
タワーの上から下を見るとめまいがします。
● feel dizzy「めまいがする」

Your story **sounds** strange to me.
あなたの話は、私にとって奇妙に聞こえます。
● strange「奇妙な、不思議な」

---

1 I'm _____

遅れて申し訳ありません。

2 I'm _____

あなたと一緒に仕事ができることに私はワクワクしています。

3 I'm _____

私は海で泳ぐのが怖いです。

4 I'm _____

_____

シンガポールで働くことを楽しみにしています。

5 _____

私はパーティーには行かないことにしました。

6 _____

熱が出て気分が悪くなりました。

1 I'm sorry for being late.
遅れて申し訳ありません。

2 I'm excited to work with you.
あなたと一緒に仕事ができることに私はワクワクしています。

3 I'm scared of swimming in the sea.
私は海で泳ぐのが怖いです。

4 I'm looking forward to working in Singapore.
シンガポールで働くことを楽しみにしています。

5 I decided not to go to the party.
私はパーティーには行かないことにしました。

6 I felt sick with a fever.
熱が出て気分が悪くなりました。

Q55　ネガティブな感情を伝える

もう売り切れなの？

楽しみにしていたのに、もう売り切れなの？

She is

A55 be disappointed 「がっかりする」

> She **is disappointed that** the bread is all sold out.
>
> パンが売り切れで、彼女はがっかりしています。

✅ 残念な気持ちを表す表現

be disappointed with 〜、be disappointed that 主語＋動詞（〜）は、「〜に失望する」という意味です。また、bread、meat、milkは数えられない名詞ですので、複数にはしません。

☐☐☐ **I'm disappointed with** the slow service.
私はサービスの遅さにがっかりしています。

☐☐☐ **I'm disappointed with** the result of the test.
私はテストの結果にがっかりしています。
● result「結果」

☐☐ **I'm disappointed that** you're leaving.
あなたが帰ってしまうことにがっかりしています。

☐☐☐ **I was very disappointed that** the soccer game was canceled.
サッカーの試合が中止になって、私はとてもがっかりしています。
● cancel「〜を中止にする」

ポジティブな感情を伝える

Q56

ネコの気持ち

いつもポスターの前で寝ている Stella、どうしてだろう？

Why does she always sleep in front of the poster?
（どうしていつもポスターの前で寝てるんだろう？）

Maybe she _____

_____

ヒント：「ポスター」poster

A56 make friends with〜「〜と友達になる」

Maybe she wants to **make friends with** Big Bear in the poster.

たぶん、ポスターのビッグベアと友達になりたいんだろう。

✅ **常に複数形で使われる表現**

英語では常に複数形で使われる表現があります。make friends with〜「〜と友達になる」、change trains at 〜「〜で乗り換える」、shake hands with 〜「〜と握手する」などです。これは、その行為をするのに複数の人やものが関わるためです。

He joined online groups to **make friends** with others.
彼はほかの人と友達になるためにオンライングループに参加しました。

We have to **change trains** at Tokyo station.
私たちは東京駅で乗り換えなければなりません。

It's polite to **shake hands** as a greeting.
挨拶として握手するのが礼儀です。

考えを伝える

Q 57

もし、宝くじが当たったら？

もし宝くじで、500万ドル当たったら、どうする？

If I _____,

I would _____

if I won 5 million dollars 「もし500万ドル当たったら」

If I won 5 million dollars, **I would travel** around the world.

もし500万ドル当たったら、世界中を旅行したいです。

✅ **現実とは違う仮定の話をする時の表現**

仮定法過去は、「現在の事実とは違う仮定」を伝える表現です。If 主語＋過去形（〜）、主語＋would(could, might)…「もし〜なら、…だろうに」が基本形で、現在のことでも過去形を使うことに注意しましょう。

If I **were** a fish, I **could** breathe under the water.
もし私が魚なら、水の中で呼吸できるのに。
- 「人が魚になること」は、現実では絶対にありえない

If I **were** you, I **would** buy the car.
もし私があなただったら、その車を買うのに。
- 「私があなたになること」は、現実では絶対にありえない

If I **had** a lot of money, I **would** buy a house.
もしたくさんお金があれば、家を買うのに。
- =I can't buy a house, because I don't have a lot of money.

考えを伝える

Q58

弟 に 押し付ける

一体何を企んでいるの？

I want to _____

A58 make「〜させる」

I want to **make my brother do** my homework.

弟に私の宿題をやらせたい。

✅ 使役動詞のmake, have, let

ほかの人に、ものを強制したり依頼したりする動詞を使役動詞といい、make、have、letがあります。

make＋目的語（O）＋原形不定詞（〜）「（強制的に）Oに〜させる」
have＋目的語（O）＋原形不定詞（〜）「（依頼して）Oに〜してもらう」
let＋目的語（O）＋原形不定詞（〜）「（相手の望むままに）〜させてあげる」

I'll **make my daughter clean up** her room.
娘に自分の部屋を掃除させます。（強制的）

You can't **make me drink** a beer.
あなたは、私にビールを無理に飲ませることはできません。（強制的）

His boss **made him quit.**
彼のボスは彼を辞めさせました。（強制的）

I **had John check** my English.
私はジョンさんに英語を確認してもらいました。（依頼）

気分を伝える

Q 59

ビュッフェ

何を食べようかなあ……

> **What would you like for dessert?**
> （デザートは何にしますか？）

I feel _____

_____

ヒント：「キー・ケーキ」whole cake

A59 feel like 〜ing 「〜したい気がする」

> **I feel like eating a whole cake.**
> ケーキをホールで食べたい気分です。

✔ 動名詞を使った慣用表現

feel like 〜ing「〜したい気がする」やHow about 〜ing?「〜してはどうですか?」など、動名詞を使った慣用表現が多くあります。動名詞は、動詞の原形＋〜ingの形で、「〜すること」という意味です。

☐ I **feel like eating out** tonight.
☐ 今晩、私は外食したい気分です。

☐ I don't **feel like doing** anything now.
☐ 今、私は何もする気がしません。

☐ I **felt like crying** when I said goodbye.
☐ 別れを告げた時、私は泣きたい気分でした。

☐ **How about taking** a break?
☐ 休憩するのはどうですか?

原因と結果を伝える

Q 60

2日酔いで

2日酔いで……

> **Are you OK?**
> （大丈夫ですか？）

I ....

I'm ....

ヒント：「頭痛」headache

A60 suffer from～「～で苦しむ」

I drank too much last night.
I'm **suffering from** a headache.

昨日は飲みすぎた。
頭痛に悩まされてるよ。

✔ 苦しさを伝える表現

suffer from ～は、「（病気・不利な状況などにおいて）～で苦しむ、悩む」「（病気に）かかっている」の意味です。ache は「痛み」を意味します。headache 「頭痛」、stomachache「腹痛」、toothache「歯痛」 を使えるようにしておきましょう。

I'm **suffering from** a bad cold.
私はひどい風邪で苦しんでいます。
● bad cold「ひどい風邪」

I'm **suffering from** a high fever.
私は高熱で苦しんでいます。
● high fever「高熱」

She has **suffered from** cancer.
彼女はガンにかかっています。
● cancer「ガン」

1

I _____

今晩、私は外食したい気分です。

2

We have to _____

_____

私たちは東京駅で乗り換えなければなりません。

3

His boss _____

彼のボスは彼を辞めさせました。

4

If I _____

_____

もしたくさんお金があれば、家を買うのに。

5

_____

あなたが帰ってしまうことにがっかりしています。

6

_____

私はひどい風邪で苦しんでいます。

1 I feel like eating out tonight.
今晩、私は外食したい気分です。

2 We have to change trains at Tokyo station.
私たちは東京駅で乗り換えなければなりません。

3 His boss made him quit.
彼のボスは彼を辞めさせました。

4 If I had a lot of money, I would buy a house.
もしたくさんお金があれば、家を買うのに。

5 I'm disappointed that you're leaving.
あなたが帰ってしまうことにがっかりしています。

6 I'm suffering from a bad cold.
私はひどい風邪で苦しんでいます。

オンライン英会話を 活用しよう

　テニスの試合を見たり、基本的な動きを学んだりしても、テニスがうまくなるわけではありません。テニスが上手になりたければ、毎日、サーブやフォアハンドなどの練習をするだけでなく、ゲーム形式で練習をすることが必要になります。

　英語でも同じことが言えます。机に向かって英文法や英単語を覚えるだけでは、決して英語を話せるようにはなりません。毎日、英語でアウトプットして、間違えながらも自分の英語が通じるという体験をすることでのみ、話す力は伸びるのです。そこでおすすめなのがオンライン英会話です。

> 【メリット】英語の話し相手を独占できる。
> 【料金】1カ月7,000円前後（毎日25分間程度のレッスン）
> 【必要なもの】インターネット環境と、スマホかパソコン1台

　オンライン英会話を有効活用するために、覚えておきたい英文を紹介します。

自分が作った英文をチェックしてもらいたい時

① I made English sentences using the phrase "take care of." Could you check them, please?

"take care of "を使った英文を作りました。
チェックしていただけますか?

相手の英語が理解できない時

Would you type it in the chat box?
それをチャットボックスにタイプしてもらえますか？

(2) ## Could you say it in simple English words, please?
それを簡単な英単語で言っていただけますか？

Sorry, what did you say?
すみません、何と言いましたか？

Wi-Fi環境がよくない時

My Wi-Fi connection is not stable today.
今日はWi-Fiの接続が安定していません。

(3) ## Could you please speak a bit slower?
もう少しゆっくり話していただけますか？

The audio quality is not very clear.
音声の質があまりよくありません。

相手の理解を確認する時

Do you understand what I mean?
私の言いたいことがわかりますか？

(4) ## Is my English correct?
私の英語は正しいですか？

Am I making myself clear?
私の言いたいことが伝わっていますか？

相手に質問する時

What do you mean by that?
それはどういう意味ですか？

(5) ## Would you explain why that answer is not correct?
なぜその答えが正しくないのか説明してもらえませんか？

What is the difference between A and B?
AとBの違いは何ですか？

第 **4** 章

質問する
トレーニング

会話が上手な人ほど聞き上手。
自分が話すことばかりを考えていては、
会話を楽しむことができません。
相手に質問を投げかけることで会話は広がり、
人間関係も深まっていくでしょう。
第4章では「質問するトレーニング」
を用意しました。
イラストの状況を見て、
質問文を作ってみましょう。

Q61

自分に合うサイズ

ちょうどいいサイズがない。店員さんに聞いてみよう。

> May I help you with something?
> （何かお困りですか？）

D_____

_____

ヒント：「私に合うサイズ」in my size

A61 Do you〜?「〜しますか?」

Do you have these shoes in my size?

この靴で私に合うサイズはありますか?

> ✔ 「〜しますか?」と質問してみよう
>
> 「Do you ＋動詞の原形（〜）?」は、「あなたは〜しますか?」の意味です。
> 毎日の習慣や行動について尋ねることができます。答え方は、Yes, I do./
> No, I don't. です。

Do you drink a lot at parties? ——Yes, I do./ No, I don't.
「パーティーではたくさん飲みますか?」「はい、飲みます/いいえ、飲み
ません」

Do you drive to work? —— No, I don't. I ride a bike.
「あなたは車で通勤していますか?」「いいえ、していません。自転車に
乗ります」
- ride a bike「自転車に乗る」

Do you want me to check? ——Yes, I do.
「私に確認してもらいたいですか?」「はい、お願いします」

Q62

ネットで見つけたレストラン

よさそうなレストランを見つけたので、
友だちに意見を聞いてみよう。

> Did you find any good restaurants?
> （どこかいいレストラン見つけた？）

> Wh_____

What do you think about〜?
「〜についてどう思う?」

A62

> **What do you think about** this restaurant?
>
> このレストランについてどう思う?

✅ セットで覚えたい**How do you feel about〜?**

What do you think about 〜?「〜についてどう思いますか?」で、相手の意見を尋ねることができます。How do you think about〜?は誤りですので注意が必要です。なお、How do you feel about〜?「〜についてどう感じますか?」は正しい用法です。

What do you think about his opinion?
彼の意見についてどう思いますか?
● opinion「意見」

What do you think about my plan?
私の計画についてどう思いますか?

What do you think about the war?
戦争についてどう思いますか?

How do you feel about the war?
戦争についてどう思いますか?
● How の場合は、thinkでなくて、feelを使う

Q63

どんなワイン？

おすすめのワインが、どんなワインなのか聞いてみよう。

> You will love this wine.
> （このワインをきっと気に入ると思いますよ）

> Wh

What kind of～?
「どんな種類の～?」

What kind of wine is this?

どんな種類のワインなんですか?

> ✔ もっと詳しく知りたい時の表現
>
> What kind of ＋名詞（～）＋ do you ＋動詞（…）?で、「あなたは、ど
> んな種類の～を…しますか?」と尋ねることができます。

What kind of food do you like? —— I like Italian food.
「あなたはどんな料理が好きですか?」「私はイタリア料理が好きです」

What kind of movies do you like? —— I like science-fiction movies.
「あなたはどんな映画が好きですか?」「私はSF映画が好きです」

What kind of drinks do you like? —— I like beer.
「あなたはどんな飲みものが好きですか?」「ビールが好きです」

Q64

ライブのチケット

人気歌手のライブに当選した友だちが「一緒に行こう」と
誘ってくれた。いつなのか聞いてみよう。

> Let's go together!
> （一緒に行こう！）

> Really?
>
> Wh

When is〜?「〜はいつ?」

Really? **When is** the concert?

本当? コンサートはいつ?

✅ 詳しい時間を尋ねる時は**What time〜?**

When is＋主語（〜）?で、「〜はいつですか?」と尋ねることができます。より詳しく、何時に、何月になどを尋ねる場合には、What time〜?やWhat month〜? を用います。また、When do you ＋動詞（〜）?で、「あなたはいつ〜しますか?」と尋ねることができます。

When is the concert? ── It's on March 15th.
「コンサートはいつですか?」「3月15日です」

When is the best time to call? ── Call me anytime after 5:00 p.m.
「あなたに電話をかけるのに都合のいい時間はいつですか?」「午後5時以降であれば、いつでもお電話ください」

What time do you have to leave?
あなたは何時に出かけなければいけませんか?

Q65

お 土 産 を 持 っ て き た 同 僚

休暇にどこに行ってきたのか聞いてみよう。

> I have souvenirs for you all.
> （みんなにお土産があります）

> Wh_____
> _____

Where did you go?
「どこに行ったの?」

Where did you go on vacation?

休暇はどこに行ったんですか?

✅ 「どこ?」を質問してみよう

Where do you + 動詞 (~)? で「どこで~するのですか?」と尋ねること
ができます。また、Where is[are] + 主語 (~)? で、「~はどこにあります
か?、いますか?」と尋ねることができます。

Where are you from? —— I'm from Las Vegas in the US.
「ご出身はどちらですか?」「私はアメリカのラスベガスの出身です」
● Where are you from?は、出身地を尋ねるのに使う。be from~「~の
出身です」

Where is the nearest train station? —— It's next to the
church.
「最も近い駅はどこですか?」「教会の隣です」
● next to~「~の隣に」

Where do you live? —— I live in Sydney.
「どこに住んでいますか?」「私はシドニーに住んでいます」

Q 66

誰が好きなの？

誰が好きなのか聞いてみよう。

> I'm a big fan of the New York Yankees.
> （ニューヨーク・ヤンキースの大ファンです）

> Wh

Who is your favorite〜?
「好きな〜は誰ですか?」

Who is your favorite player?

好きな選手は誰ですか?

> ✅ 「誰?」を質問してみよう
>
> Who is + 主語(〜)?で「誰が〜ですか?」と尋ねることができます。Who
> + 動詞(〜)?で「誰が〜するのですか?」と尋ねることができます。

Who is your favorite group? —— I love TWICE.
「あなたの好きなグループは何ですか?」「トゥワイスが大好きです」

Who is the person sitting next to you? —— She is my sister.
「あなたの隣に座っている人は誰ですか?」「私の妹です」

Who broke this hair dryer? —— I did.
「このヘアドライヤーを壊したのは誰ですか?」「私です」

Q67

転職して1カ月の友人

転職した友だちに、どんな感じか聞いてみよう。

> It's been a month since I started my new job.
> （新しい仕事を始めて1カ月たちました）

H_____

_____

How is～?
「～はどうですか?」

How is your new job?

新しい仕事はどう?

✅ ざっくり様子を聞く表現

How is ＋主語（～)? で「～はどうですか?」と様子を尋ねることができます。
また、How do you ＋動詞（～)? で、「どのように～しますか?」と方法を
尋ねることができます。

How is your wife? —— She is doing good.
「奥様はお変わりありませんか?」「元気です」

How was the concert? —— It was great.
「コンサートはどうでしたか?」「すごくよかった」

How do you spend your free time? —— I often play the guitar.
「自由時間はどのように過ごしますか?」「私はよくギターを弾いています」

1

最寄り駅はどこですか?

2

コンサートはいつですか?

3

あなたの隣に座っている人は誰ですか?

4

彼の意見についてどう思いますか?

5

あなたはどんな料理が好きですか?

6

あなたは車で通勤していますか?

1

Where is the nearest train station?

最寄り駅はどこですか？

2

When is the concert?

コンサートはいつですか？

3

Who is the person sitting next to you?

あなたの隣に座っている人は誰ですか？

4

What do you think about his opinion?

彼の意見についてどう思いますか？

5

What kind of food do you like?

あなたはどんな料理が好きですか？

6

Do you drive to work?

あなたは車で通勤していますか？

Q 68

昔のケータイ

どうして古いケータイをまだ使っているのか聞いてみよう。

> **I've had this for 10 years.**
> （10年これを持っています）

> Wh_____
> _____

Why〜?
「どうして〜の?」

Why are you still using that phone?

どうしてまだその電話を使っているんですか?

✓ **理由を質問する表現**

Why 〜?で、「なぜ〜なのですか?、なぜ〜するのですか?」と理由を尋ねることができます。なお、Why疑問文に答える場合には、Because ＋主語＋動詞の形で述べます。

Why are you crying?

あなたはなぜ泣いているのですか?

Why are you anxious about your interview?

あなたはなぜ面接のことを心配しているのですか?

● be anxious about〜「〜について心配する」

Why do you want to go to Spain?

あなたはなぜスペインに行きたいのですか?

Q69

おすすめされた物件

不動産屋に物件を紹介された。家賃を聞いてみよう。

> You'll love this room for sure.
> （この部屋を絶対に気にいりますよ）

H_____

_____

ヒント：「家賃」rent

How much～?
「～はいくら?」

A69

How much is the rent per month?

1カ月の家賃はいくらですか?

> ✓ 数えられないものの量を尋ねる表現
>
> How much is～?／How much ＋数えられない名詞～?で、「～はどの
> くらいですか?」と尋ねることができます。値段や体重など、数えられない名
> 詞の量について尋ねる時に使います。

How much is it to go to the airport?
— It's about twenty dollars.
「空港まで行くのはいくらですか?」
「およそ20ドルです」

How much money do you spend on food every month?
— I spend about five hundred dollars.
「あなたは、毎月、食費にいくら使いますか?」
「私は、およそ500ドル使います」

Q 70

スカイダイビング

スカイダイビングはどんな感じなのか聞いてみよう。

> You should try it. It is so much fun.
> （やってみたほうがいい。本当に楽しいから）

Wh_____

_____

ヒント：「スカイダイビングをする」はskydive

What is it like to～?
「～するのはどんな感じ?」

A 70

> ## What is it like to skydive?
> スカイダイビングをするのってどんな感じ?

> ### ✓ ざっくりどんな感じか質問しよう
> What is it like to ～? は、「～するのはどんな感じですか?」を意味します。
> What is+主語(～)+like? 「～はどのようなもの(人)ですか?」が基本の
> 形で、What is Diana like?「ダイアナはどんな人ですか?」のように使い
> ます。

☐ **What is it like to live in Italy?**
イタリアで暮らすのはどんな感じですか?

☐ **What is it like to dive from a high bridge?**
高い橋から飛び込むのはどんな感じですか?

☐ **What is it like to act in the theater?**
劇場で演技をするのはどんな感じですか?

☐ **What is Richard like?**
リチャードはどんな人ですか?

Q 71

歓 迎 会

歓迎会を企画しています。いつ開催するのか聞いてみよう。

> We are organizing a welcome party for Terry.
> （テリーのための歓迎会を開きます）

Wh_____

_____

A71

When will～?
「～はいつ?」

When will it be held?

いつ開催されますか?

> ✓ **時間や予定を質問する表現**
>
> When will＋ 主語 ＋ ～?で「いつ～しますか?」と時間や予定を尋ねることができます。「～」には動詞の原形がきます。When can ＋ 主語 ＋ ～?「いつ～できますか?」、When should ＋ 主語 ＋ ～?「いつ～するべきですか?」もあわせて使えるようになりましょう。

☐☐☐ **When will** you play computer games with me?
いつ私とコンピューターゲームをしますか?

☐☐☐ **When will** you join the gym?
いつジムに入会しますか?

☐☐☐ **When can** we take a break?
いつ休憩を取れますか?

☐☐☐ **When should** I return the car?
いつ車を返却すればいいですか?

Q72

行き方を尋ねる

道に迷ってしまった。駅への行き方を尋ねてみよう。

Are you OK?
（大丈夫ですか？）

I'm _____

_____

A72 How do～?「どのように～しますか?」

> I'm lost. **How do** I get to the station from here?
>
> 道に迷っています。ここからどうやって駅に行けばいいのでしょうか?

✅ **手段や方法を質問する表現**

How do ～?で「どのように～しますか?」と手段や方法を尋ねることができます。また、How is ～?で「～はどうですか?」と状態を尋ねることができます。

How do I use this machine?
この機械はどうやって使えばいいですか?

How do you cook this food?
この食べものはどうやって調理しますか?

How can I fix the laundry machine?
この洗濯機を修理するにはどうしたらいいですか?

● fix「～を修理する」　laundry machine「洗濯機」

How is your new job?
新しい仕事はどうですか?

Q73

プレゼントを選ぶお客

夫へのネクタイを探している客が来ました。
どんな色が好みか聞いてみよう。

I'm looking for a tie for my husband.
（夫のためにネクタイを探してます）

Wh＿＿＿＿＿＿＿＿＿＿＿＿＿＿＿＿＿＿＿＿
＿＿＿＿＿＿＿＿＿＿＿＿＿＿＿＿＿＿＿＿

What color〜?
「どんな色の〜?」

What color does he like?

彼はどんな色がお好みですか?

✅ 話を具体的に聞く時の表現

What ＋名詞（〜）…?で「どんな〜が…ですか?」と具体的な内容について尋ねることができます。What type of ＋名詞（〜）…?で「どんなタイプの〜が…ですか?」と尋ねることができます。

What sport do you like?
どんなスポーツが好きですか?

What foods do you like?
どんな食べものが好きですか?

What type of car does he prefer?
彼はどんなタイプの車を好みますか?

What type of music does he enjoy?
彼はどんなタイプの音楽を楽しみますか?

Q 74

伝言を受ける

Mr. Brownへの電話ですが、不在なので伝言を受けよう。

May I speak to Mr. Brown?
（ブラウンさんにつないでもらえますか？）

He _____

Sh _____

Shall I〜?
「〜しましょうか?」

> He is not here.
> **Shall I** take a message?
>
> 彼は不在です。
> 伝言をお受けしましょうか?

> ✅ 提案をする時の表現
>
> Shall I〜?は、「(私が)〜しましょうか?」と相手に申し出る時に使います。
> Shall we〜?は、「(一緒に)〜しませんか?」と相手に提案する時に使います。

☐ **Shall I** open the window?
☐ 窓を開けましょうか?

☐ **Shall I** heat up the soup?
☐ スープを温めましょうか?

☐ **Shall we** switch drivers?
☐ 運転手を交代しましょうか?

☐ **Shall we** go to the movies this week?
☐ 今週映画に行きませんか?

1

どんなスポーツが好きですか?

2

新しい仕事はどうですか?

3

あなたはなぜ面接のことを心配しているのですか?

4

イタリアで暮らすのはどんな感じですか?

5

空港まで行くのはいくらですか?

6

いつ車を返却すればいいですか?

1 **What sport do you like?**
どんなスポーツが好きですか?

2 **How is your new job?**
新しい仕事はどうですか?

3 **Why are you anxious about your interview?**
あなたはなぜ面接のことを心配しているのですか?

4 **What is it like to live in Italy?**
イタリアで暮らすのはどんな感じですか?

5 **How much is it to go to the airport?**
空港まで行くのはいくらですか?

6 **When should I return the car?**
いつ車を返却すればいいですか?

冠詞を使い分けよう

英語で名詞の前に置かれている "a" や "an"、"the" は「冠詞」と呼ばれます。日本語には冠詞が存在しないため、冠詞の使い方に悩まされている人は多いのではないでしょうか。ここでは冠詞を使い分けるために、基本的な2つの原則を紹介します。

【原則1】相手にとっての新情報や、特に限定しないものにはaを用います。
【原則2】相手と明らかに共通に認識できるものにはtheを用います。

では、この2つの原則を念頭に次の英文を読み、aとthe、それぞれの冠詞が使われている理由を考えてみましょう。

This is ①a story of ②the first day of my trip to London. I booked ③a hotel on ④the Internet. On my way to ⑤the hotel, I came across ⑥a note. ⑦The note had ⑧a map with it. According to ⑨the note, ⑩a king had hidden ⑪a gold mask close to ⑫the nearest church. I managed to find ⑬the mask. Fortunately, I became ⑭the most famous person in town.

これは私のロンドン旅行の1日目の物語です。私はインターネットでホテルを予約しました。ホテルに向かう途中、私はメモを見つけました。そのメモには地図が書かれていました。メモによると、ある王様が最寄りの教会の近くに黄金の仮面を隠したとされています。私は何とかその仮面を見つけ出しました。幸運にも、私は町で最も有名な人になりました。

aとtheを使い分けるポイント

① story は新情報なので a story となります。

② first day は、beginning や end のように一つしかないものを指しているので、the first day となります。

③ hotel は新情報なので a hotel となります。

④ Internet は情報媒体で、共通認識できるので the Internet となります。

⑤ hotel は前の hotel と同じなので the hotel となります。

⑥ note は新情報なので a note となります。

⑦ note は前の note と同じなので the note となります。

⑧ map は新情報なので a map となります。

⑨ note は前のnoteと同じなので the note となります。

⑩ king は新情報なので a king となります。

⑪ gold mask は新情報なので a gold mask となります。

⑫ church は最上級なので the nearest church となります。

⑬ mask は前のmaskと同じなので the mask となります。

⑭ person は最上級で明らかなので the most famous person となります。

A

according to 94
among 20
ask ～ to… 104
at 26
available 98

B

be going to 76
because 62
because of 100
behind 28
below 24
beside 18
between 20
beyond 28

C

can't 66
change trains 150
choose ～as… 126
convenient 98

cost 84
couldn't 66

D

decide to 134
disappointed 148
divide ～ into… 118
Do you ～? 166

E

excited 140
exciting 140

F

feel 144
feel like ～ing 156
finally 122
fine 88
first 122

G

get used to 136

go past ⋯⋯⋯⋯⋯ **36**

go straight ⋯⋯⋯⋯⋯ **36**

H

happen ⋯⋯⋯⋯⋯ **68**

hardly ⋯⋯⋯⋯⋯ **120**

have to ⋯⋯⋯⋯⋯ **32**

help ⋯⋯⋯⋯⋯ **110**

hope to ⋯⋯⋯⋯⋯ **134**

How about ～ing? ⋯⋯ **156**

How do ～? ⋯⋯⋯⋯⋯ **190**

How do you feel about～?

⋯⋯⋯⋯⋯ **168**

How is ～? ⋯⋯⋯⋯⋯ **178**

How much ～? ⋯⋯⋯ **184**

I

I'd like you to ⋯⋯⋯ **114**

if ⋯⋯⋯⋯⋯ **70**

in ⋯⋯⋯⋯⋯ **26**

in front of ⋯⋯⋯⋯⋯ **28**

in order to ⋯⋯⋯⋯⋯ **106**

in the middle of ⋯⋯⋯ **18**

instead of ⋯⋯⋯⋯⋯ **94**

K

kind to ⋯⋯⋯⋯⋯ **42**

L

look ⋯⋯⋯⋯⋯ **40**

look for ⋯⋯⋯⋯⋯ **82**

look forward to ⋯⋯⋯ **136**

look up ⋯⋯⋯⋯⋯ **82**

M

make friends ⋯⋯⋯ **150**

N

need to ⋯⋯⋯⋯⋯ **134**

nice to ⋯⋯⋯⋯⋯ **42**

O

occur ⋯⋯⋯⋯⋯ **68**

on ⋯⋯⋯⋯⋯ **22**

one is〜, the other is… 48

P
put on 58

R
run out of 64
run short of 64

S
satisfied with 138
scared of 138
second 122
seem 40
select 〜 as… 126
separate 〜 by… 118
shake hands 150
Shall I 〜? 194
so 〜 that… 112
something to drink 44
sorry for 142
sound 144

stop 96
suffer from 158

T
take advantage of 80
take care of 80
take off 58
take part in 80
take place 68
tell 〜 to… 104
thanks to 100
there is/are 34
too 〜 to… 102
turn left 36

U
under 24
unkind to 42
used to 86

W
weigh 74

weight ································ **74**

What color 〜? ················ **192**

What do you think
　about 〜? ···················· **168**

What is it like to 〜? ····· **186**

What kind of 〜? ············ **170**

What time〜? ··················· **172**

when ························ **60, 70**

When is 〜? ···················· **172**

When will 〜? ················· **188**

Where do you 〜? ··········· **174**

Who is 〜? ····················· **176**

Why 〜? ·························· **182**

without ··························· **38**

worth ····························· **92**

その他

仮定法 ····························· **152**

過去分詞 ··························· **46**

現在完了形 ······················· **116**

現在進行形 ························· **56**

現在分詞 ··························· **46**

使役動詞 ··························· **154**

受動態 ····························· **124**

複数形 ····························· **78**

おわりに

　英語学習で重要なことは、単語や文法を頭で覚えるだけではなく、実際に口に出して話してみることです。楽しみながら英語を口に出すきっかけを作れたらという思いから、本書を制作しました。本書の意図を体感していただけましたでしょうか。

　本書の表現や例文を秒単位でパッと言えるようになれば、間違いなく大きな前進です。今や100年と言われる人生をより有意義なものにできるように、英語学習を続けてください。

　世の中では、頑張ってもどうにもならないことも多いです。才能や運で片付けられてしまうこともあります。そのような中で、個人差はあるものの、正しくトレーニングを行えば、かけた時間や労力に比例して英語力は伸びます。努力した分だけ必ず話せるようになります。英語学習は決して裏切りません。

　英語学習では決して損をしません。世界観が広がったり、キャリアアップにつながったりすることもあるでしょう。

　最後に、今後もっと英語を学びたいと思っている皆さんへ、本を紹介します。

① 英語学習法

『英語最後の学習法　英字新聞編集長が明かす確実に効果の出るメソッド』高橋敏之著（ジャパンタイムズ出版）
⇒英語を習得するうえで不可欠なことが、具体的なエクササイズとともに体感できます。

② 英会話

『4コマ漫画で攻略！　英語スピーキング』森秀夫・Andrew Nicolai Struc（DHC出版）
⇒本書の1コマイラストを発展した形です。日常生活で実際に起こりうる場面を楽しみながら、より詳しく状況をとっさに説明できるようになります。

③ 英単語

『英単語の語源図鑑』清水建二・すずきひろし（かんき出版）
⇒効率的に英単語力を増やすヒントが載っています。イラストがあるので視覚的にも覚えやすいです。

[著者]

森秀夫（もり・ひでお）

麗澤大学外国語学部教授。上智大学大学院修士課程修了。英語教育・英語教員養成が専門。
20年以上、旺文社の『全国大学入試問題正解 英語』の解答者として、大学入試問題を分析している。その中で、なぜ多くの日本人が難解な大学入試の英文を理解できるのにもかかわらず、いつまでも話せるようにならないのかと疑問に思い、中学校や高校で学習する英文法と英単語の知識をいかに定着させるか、またそれらを実際の運用にどのようにつなげていくかに関心を持って研究を行っている。
主な著書に、『英単語・熟語ダイアローグ1800』（旺文社・共著）、『50トピックでトレーニング 英語で意見を言ってみる』（ベレ出版）、『英語で論理的に賛成・反対が言えるトレーニング』（ベレ出版）、『図式で攻略! 英語スピーキング』（DHC）、『4コマ漫画で攻略! 英語スピーキング』（DHC・共著）、『パターンで攻略 英語スピーキング入門』（DHC・共著）などがある。

中学英語だけで面白いほど話せる!
見たまま秒で言う英会話

2023年9月19日　第1刷発行

著　者━━森秀夫
発行所━━ダイヤモンド社
　　　　　〒150-8409　東京都渋谷区神宮前6-12-17
　　　　　https://www.diamond.co.jp/
　　　　　電話／03-5778-7233（編集）　03-5778-7240（販売）
ブックデザイン━━小口翔平＋畑中茜＋村上佑佳（tobufune）
イラストレーション━━吉場久美子
校正━━━━LIBERO
英文校正━━AtoZ English
録音━━━━一般財団法人 英語教育協議会（ELEC）
ナレーション━━Karen Haedrich, Dominic Allen
製作進行━━━ダイヤモンド・グラフィック社
印刷／製本━━勇進印刷
編集担当━━━斉藤俊太朗